SPANISH

Reading for Meaning

SPANISH

* *

Reading for Meaning

Edited by
Modern Language Materials Development Staff,
Harcourt Brace Jovanovich

Under the general editorship of the late
George A. C. Scherer
of the University of Colorado

HARCOURT BRACE JOVANOVICH

New York *Chicago* *San Francisco* *Atlanta* *Dallas* and *London*

COVER: *Crecimiento* ("Growth") by Olga Albizu. This painting is from the collection of Harcourt Brace Jovanovich, Inc. (Harbrace Photo)

Printed in the United States of America

ISBN 0-15-380315-0

FOREWORD

This book is one of a series of Spanish readers entitled *Reading for Meaning.* The selections included are intended to be read with direct association between the printed word and its meaning. Students should be able to read these selections easily and with pleasure upon completion of two levels of classroom instruction. Structure and vocabulary are carefully controlled. There are marginal glosses and a complete Spanish–English vocabulary.

CONTENTS

IMPRESIONES□ DE MONTEVIDEO

María y Carlos Espinosa salieron del ascensor° y miraron hacia el semi□ oscuro comedor del hotel. Había poca gente. En el vestíbulo□ había unos señores leyendo periódicos, y un grupo, riendo y charlando, esperaba el ascensor. Parecían turistas, como los Espinosa.

el ascensor: *elevator*

—Oye, vamos a desayunar ahora mismo. Me muero de hambre —dijo María a su esposo.

—Entra tú y siéntate. Ahora vengo, voy a buscar un periódico.

María entró al comedor y buscó una mesa junto a la pared. La luz indirecta□ apenas le permitía ver, pero poco a poco sus ojos iban acostumbrándose a la oscuridad. Se le acercó el mozo, vestido de chaqueta blanca y corbata negra.

—Buenos días, señora. ¿Va a tomar desayuno?

—Sí, estoy esperando a mi esposo... ¡Ah! Aquí viene. ¿Qué quieres tomar, Carlos?

—Buenos días. Por favor, tráigame jugo de naranja,° huevos y café con leche. Tú ya has pedido, me imagino.

el jugo de naranja: *orange juice*

—No todavía. Te esperaba. Tráigame lo mismo que al señor.

—Lo siento, señores, no tenemos jugo de naranja. Ustedes saben, ésta no es la temporada de naranjas. ¿Quieren jugo de tomate?

—Sí, está bien.

—Muy bien, señor. ¿Cómo quiere los huevos?

—¿Cómo los quieres, María? ¿Revueltos?°

revueltos: *scrambled*

—Sí, revueltos, por favor.

—Muy bien, señor. Dos platos de huevos revueltos. ¿Prefiere pan fresco o tostadas?°

las tostadas: *toast*

—Tostadas, por favor.

—¿Quiere mantequilla y mermelada?

—Sí, por favor —dijo Carlos, ya un poco cansado de la larga conversación—. Oiga, ¿no hay más luz? Este comedor está muy oscuro. Es casi imposible ver aquí.

—Ah, sí, señor, cómo no. Voy a prender otra luz.

...María miró hacia la calle por las puertas de vidrio que dividían el comedor del vestíbulo. Habían llegado[1] a Montevideo el día anterior en la tarde, después de pasar un poco más de una semana en el Brasil. Estaban viajando por toda Sudamérica en plan de turismo. El Uruguay le interesaba mucho a María. Estaba leyendo *El país de la cola de paja,*[2] un libro del conocido° escritor uruguayo, Mario Benedetti, en el cual se decía que en Europa no se sabía virtualmente▫ nada del Uruguay excepto que era "ese país sudamericano que no tiene revoluciones",▫ y que en los Estados Unidos, aunque se tiene una vaga▫ idea del sistema de gobierno uruguayo, diciendo que es "similar▫ al de Suiza",° algunos llegan a hablar de sus "costas del Pacífico" y de sus "indios". María misma tenía que admitir▫ que sabía muy poco del Uruguay y sus primeras impresiones de Montevideo eran muy agradables. La ciudad, siguiendo la suave° curva▫ de la costa, con sus nuevos edificios de apartamentos que daban al Mar del Plata,[3] le recordaba vagamente la vista tan conocida de Copacabana, en Río de Janeiro, aunque por cierto, era menos espectacular▫ y mucho más tranquila... y limpia. Era extraño. No se veía la pobreza° tan evidente▫ en otras partes de Latinoamérica; se decía que la mayor parte de la población° del Uruguay era de la clase media y no se veía ninguna cara india en las calles. El Uruguay no tenía lo que suelen llamar el "problema indio" simplemente porque aquí ya no había indios. Evidentemente, la falta de edu-

conocido, -a: *well-known*

Suiza: *Switzerland*

suave: *gentle*

la pobreza: *poverty*

la población: *population*

[1] The past perfect tense is formed in Spanish in much the same way it is in English: the imperfect form of the auxiliary **haber** is combined with a past participle. Thus **habían llegado** is equivalent to "they had arrived."

[2] **El país de la cola de paja,** literally *The Country with the Straw Tail,* is a book of essays about Uruguay today. This curious title comes from an Italian expression meaning "to feel a sense of guilt."

[3] The **Plata** is a river, but because of its great width—120 miles wide at its mouth—the area where it meets the Atlantic is sometimes spoken of as a sea or bay. **Mar del Plata** = **Mar del Río de la Plata.**

cación y la pobreza de las masas indias representaban un problema muy grande para los otros países, aquí no...

La noche anterior al pasear por la avenida principal, Avenida 18 de Julio, se habían fijado en que toda la gente iba bien vestida; habían notado que los escaparates bien iluminados estaban llenos de cosas que comprar; sobre todo, les había llamado la atención la falta de pordioseros[4] por las calles. "Ahora parezco una turista de verdad", pensó ella, sonriendo para sí misma, "fijándome tanto en la pobreza y en la cantidad tan grande de pordioseros". Pero era verdad, el Uruguay evidentemente no sufría los mismos problemas que el resto de Latinoamérica...

El mozo, que traía el desayuno, interrumpió sus meditaciones:

—¿Ustedes piensan quedarse mucho tiempo en Montevideo?

—No, sólo unos pocos días. Ojalá tengamos tiempo para ver lo más interesante.

—Pues, deben subir al Cerro;° allí hay una vieja fortaleza que ahora es un museo militar de donde se puede ver toda la ciudad y el Mar del Plata. La vista es realmente hermosa. Vale la pena ir.

el cerro: *hill*

—¿Ese Cerro queda muy lejos o se puede ir andando?

—Queda muy lejos, señora. Para ir hasta el Cerro hay que tomar un taxi, o también se puede ir en autobús. Usted sabe, los turistas siempre van en taxi pero para nosotros eso resulta un poco caro... Bueno, con permiso,° voy a traerles las tostadas.

con permiso: *excuse me*

Mientras conversaban había entrado una familia, un matrimonio con dos hijas y una señora que parecía ser la abuela. Se habían sentado junto a la mesa de los Espinosa, y después de atenderlos el mozo, se pusieron a conversar en voz baja. María no tenía interés en escuchar su conversación; sin embargo, le llamó la atención la alegría

---

[4] **Pordiosero** = "beggar." This term is used to refer to beggars because of their custom of invoking the name of God when begging, as in **Por Dios.**

que había en la familia. El padre, un señor moreno, enérgico y alegre —verdaderamente parecía muy simpático— reía y charlaba con sus hijas y con su esposa, una señora hermosa, de ojos claros y pelo castaño. Parecía que ella se divertía solamente escuchando la conversación de su familia, pero de vez en cuando ella también ofrecía un comentario.

—Oye, ¿en qué lengua está hablando esta familia? —le preguntó en voz baja Carlos a María—. A mí me parece ruso.°

el ruso: *Russian*

—No sé, puede ser, no me había fijado —contestó ella, poniendo más atención a las palabras de la familia—. Oye, no es ruso, ¡están hablando armenio!□ —exclamó con sorpresa María, con sorpresa porque la familia de ella era armenia—. ¡Parece mentira! Vamos a conocerlos, ¿qué te parece?

—Mira, María, quizás no les agrade que se les acerquen unos desconocidos a interrumpir su desayuno.

—No hombre, todavía no has llegado a entender muy bien a los armenios. Estoy segura de que se alegrarán de conocernos —añadió, levantándose de la mesa y acercándose a la familia.

—Perdonen ustedes. Creo que les oigo hablar armenio.

—Sí, señora —contestó el padre, poniéndose de pie°—. Somos armenios...

ponerse de pie: *to stand up*

—Pues, mis padres son armenios también, y aunque no hablo la lengua, la reconozco...

—Pues, ¡qué sorpresa tan agradable! ¿De dónde son ustedes?

—Vivimos en los Estados Unidos —contestó Carlos—. Permítame presentarme. Yo soy Carlos Espinosa y ésta es mi esposa, María. Yo soy chileno pero mi señora nació° en los Estados Unidos, de padres armenios, como ya le ha dicho.

nacer: *to be born*

—Pero, ¡qué coincidencia! Yo soy Jorge Dadourian y ésta es mi esposa, Ana, mis hijas, Isabel y Dolores y su abuela, la señora Makarian. Siéntense, por favor. ¿No quieren tomar café con nosotros?

—No gracias, acabamos de desayunar, pero con mucho gusto nos sentamos un rato.

—Señora, su esposo dijo que usted nació en los Estados Unidos. ¿Cómo es que habla español tan bien? —preguntó la señora.

—Lo estudié en la escuela y en la universidad y después estuve un año estudiando en México.

—¡Pero, qué fantástico! —comentó sonriendo el padre—. ¿Cómo es posible que un chileno y una armenia se hayan casado?° ¿Dónde se conocieron?

casar(se): *to marry*

—En Boston donde yo era maestra y él estaba acabando su doctorado en ingeniería.° Nos conocimos allí un verano y después de unos meses nos casamos.

la ingeniería: *engineering*

—Pues, fíjense, yo también estaba estudiando ingeniería, ingeniería civil,▫ pero tuve que dejar mis estudios porque mi padre me necesitaba para ayudarle en sus negocios. En esos días no teníamos mucho dinero. Sentí mucho dejar la Universidad pero, gracias a Dios, nos ha ido muy bien en todo. En lugar de ser ingeniero civil me he dedicado▫ a los negocios en Buenos Aires.

—¿Ah? ¿Ustedes viven en Buenos Aires?

—Sí, yo nací allí, pero mi esposa es de aquí. Venimos a Montevideo con frecuencia▫ para visitar a su familia. Esta vez es una visita muy corta. Pasado mañana volvemos a Buenos Aires... Dígame, señora, ¿cuál era su apellido de soltera°...?

el apellido de soltera: *maiden name*

Y luego siguió una larga conversación sobre los apellidos de solteras de la madre y las abuelas de María, sobre el lugar donde habían nacido y sobre el negocio de su padre —cosas que le pueden interesar▫ sólo a otro armenio...

—Mis queridos amigos —dijo el Sr. Dadourian, mirando su reloj y levantándose de repente—, no saben cuánto gusto me ha dado conocerlos. Lo siento muchísimo pero me doy cuenta de que son las once y media y tenemos que irnos; están esperándonos unos amigos. Les voy a dar mi tarjeta[5] y cuando lleguen a Buenos Aires, ojalá

---

[5] It is quite common in Europe and Latin America for men to use calling cards with their name and address printed on them.

nos llamen. Nos dará muchísimo gusto llevarlos a conocer la ciudad. ¿Cuándo piensan salir de aquí?

—El miércoles.

—¿Y saben en qué hotel van a estar?

—No, casi nunca hacemos reservaciones de antemano —explicó Carlos.

—Bueno, en ese caso, estaremos esperando su llamada. Este es el número de teléfono de mi casa y éste es el de la fábrica. Llámenme en cuanto lleguen.

—Muchísimas gracias. Ustedes son muy amables. Ojalá nos veamos otra vez antes de que se vayan a Buenos Aires. Adiós, señora, muchísimo gusto en conocerla... —Y así los Espinosa se despidieron de sus nuevos amigos.

El resto del día lo pasaron caminando por el centro, visitando la Universidad y mirando las tiendas. Notaron que unos obreros estaban terminando de construir una gran plataforma▫ en una de las plazas al lado de la Avenida 18 de Julio. Se acordaron de que el día siguiente era el primero de mayo y que se iba a celebrar el Día del Obrero. En el hotel les habían advertido que todo iba a estar cerrado ese día, las tiendas, los bancos, los cines, y casi todos los cafés; hasta los taxis y los autobuses no iban a funcionar.° Terminaron el día cenando en una churrasquería[6] donde les agradó no solamente el buen gusto de la carne sino también el precio: era la carne más barata que habían comido en su vida.

funcionar: *to function, work, run*

La mañana del primero de mayo se levantaron a eso de° las ocho y después de desayunarse Carlos y María salieron a observar las celebraciones.▫ El día estaba frío[7] y amenazaba llover. Había un fuerte viento del oeste que les hizo volver al hotel a ponerse los abrigos y a recoger sus impermeables.

a eso de: aproximadamente a

Dirigiéndose hacia el centro notaron en seguida la

[6] A **churrasquería** is a typical restaurant in Uruguay, Argentina, and Brazil that specializes in grilled meats, cooked over an open pit.

[7] South of the equator winter begins during the month of June. In May it is already turning cold in Uruguay.

ausencia° de taxis y autobuses. Cuando llegaron a la plaza, ya estaba llena de gente y los discursos ya habían empezado. Desde la plataforma decorada□ con banderas uruguayas y comunistas,□ un hombre, frente a un micrófono,□ les hablaba a gritos y con gestos dramáticos□ sobre los derechos del obrero y los peligros del capitalismo.□ Mucha gente le escuchaba con atención, pero muchos otros, como los Espinosa, parecían estar allí sólo por pura□ curiosidad, o por lo menos no lo tomaban muy en serio, y reían y charlaban con sus amigos. Entre la multitud□ se veían también unas cuantas banderas comunistas...

la ausencia: *absence*

Unos quince minutos después de llegar los Espinosa, de repente empezó a caer una fuerte lluvia y la gente, olvidándose de la política, echó a correr en busca de refugio.□ Carlos y María hicieron lo mismo. En pocos segundos la plaza quedó casi vacía,° pero el orador□ seguía gritando a los pocos que quedaban, sin hacerle caso al agua que le corría por la cara.

vacío, -a: *empty*

Una hora después dejó de llover y volvió a salir el sol. Los Espinosa se dirigieron a la izquierda hacia el Parque Rodó, llamado así en honor del famoso escritor uruguayo, José Enrique Rodó.

Les encantó la tranquilidad del enorme parque con sus altos eucaliptos,□ sus lagos, sus pequeñas fuentes y bancos de mosaicos.□ Algunos niños pequeños jugaban a la pelota, entre gritos de alegría, bajo la mirada de sus padres; unos novios se paseaban lentamente, charlando en voz baja, parándose de vez en cuando para sacar fotos...

Volvieron al hotel a eso de las seis, con frío y con mucha hambre, pero como era todavía muy temprano para cenar, entraron en el comedor a tomar el té, como lo hacía todo el mundo en Montevideo a esa hora de la tarde. Se acostaron temprano esa noche porque a la mañana siguiente muy temprano iban a hacer una excursión al Cerro, el lugar que tanto les había recomendado el mozo del hotel.

OSWALDO ARANA
ALICE A. ARANA

PREGUNTAS

1. ¿Cómo estaba el comedor cuando María entró?
2. ¿Cómo estaba vestido el mozo?
3. ¿Qué pidió Carlos para el desayuno?
4. ¿Por qué le interesaba mucho el Uruguay a María?
5. ¿Qué era lo único que se sabía del Uruguay en Europa?
6. En Estados Unidos ¿qué vaga idea se tiene del Uruguay?
7. ¿De qué cosas del Uruguay llegan a hablar algunos?
8. ¿Qué parte de Montevideo le recuerda Copacabana a María?
9. ¿Qué es lo que no se veía en la ciudad y que era evidente en otras partes de Latinoamérica?
10. ¿Qué había en el Cerro?
11. Mientras los Espinosa conversaban, ¿quiénes entraron al comedor?
12. ¿Qué le llamó la atención a María?
13. Según Carlos, ¿qué lengua hablaban los que entraron?
14. ¿De qué nacionalidad eran los Espinosa?
15. ¿Dónde aprendió el español María?
16. ¿Dónde se conocieron los Espinosa?
17. ¿Qué hacían allí?
18. ¿Qué profesión tiene el Sr. Dadourian?
19. ¿Qué hacían los Dadourian en Montevideo?
20. ¿Para qué construían los obreros una gran plataforma?
21. ¿Cómo estaba la plaza cuando los Espinosa llegaron?
22. ¿Qué decía el orador?
23. ¿Qué pasó a los quince minutos de que llegaron los Espinosa a la plaza?
24. ¿Adónde fueron los Espinosa después?
25. ¿Cómo era el Parque Rodó?
26. A eso de las seis de la tarde ¿qué hacía todo el mundo en Montevideo?
27. ¿Qué pensaban hacer Carlos y María al día siguiente?

EL HOMBRE DE LA SELVA

San Antonio es una población construida por los españoles sobre las ruinas de una ciudad india, Piedras Negras. Allí termina la civilización y comienza la selva, ese mundo de árboles° y animales,▫ y de peligros y aventuras.▫

el árbol: *tree*

Juan Quetzú es un indio que vive en San Antonio, y la selva es su vida. No hay nadie tan rápido como él para subir a los árboles, atravesar los ríos y notar el peligro. Juan conoce a los animales por el ruido que hacen cuando caminan, y por sus canciones cuando están en los árboles. A las plantas las conoce por su olor.

Berta, la esposa de Juan, es una mujer tranquila que se pasa las tardes chismeando con las vecinas. Juan es moreno y bajo. Tiene dos hijos, uno de doce y otro de nueve. El mayor ya trabaja en la hacienda de don Mario. En la casa de Juan hay muchos animales: dos perros, media docena de pollos,° y un loro que divierte a todo el mundo.

el pollo: *chicken*

Juan venía una vez de regreso al pueblo, cuando de pronto se detuvo al oír un ruido que le anunciaba peligro. Era el clac-clac-clac de la culebra cascabel,° y allí la vio Juan, a poca distancia de donde se había detenido: estaba con la cola y la cabeza eréctiles.▫ Juan se escondió rápidamente detrás de unas plantas, y se quedó quieto como una piedra. Sin embargo, si se escondió fue porque pensó que la culebra, y no él, estaba en peligro. Estaba seguro que la cascabel no venía a atacarlo,▫ porque sabía muy bien que cuando éstas atacan lo hacen en silencio y su movimiento es lento para que nadie las oiga ni las vea.

la culebra cascabel: *rattlesnake*

Ahí donde estaba escondido, Juan no perdía de vista a la culebra, y a los pocos° segundos se dio cuenta de que tenía razón. Vio que algo caminaba con dirección a ella y poco a poco, al verle las rayas rojas y negras, reconoció que era una coral.° No era tan grande como la cascabel y quizás por eso sus movimientos eran más

a los pocos... *a few . . . later*

la coral: *coral snake*

rápidos. Continuamente subía y bajaba la cabeza a la vez que se acercaba más y más a la cascabel.

Muy pronto la cascabel fue víctima de la coral. Cuando comenzó a darse vuelta para ponerse frente a su enemiga fue muy tarde. Ya la coral había atacado por detrás, dejándose caer sobre ella. El ruido furioso de la cola de la cascabel comenzó a convertirse en un rumor° y al poco rato ya no se oyó más. Juan, que ha visto otras peleas como ésta, considera▫ que entre los animales no existe el deseo de hacer daño, como algunas gentes creen, sino sólo el hambre. Francamente, el hambre es lo que mantiene a la selva en constante actividad. De esa manera es un lugar muy interesante, con peligros y aventuras.

el rumor: *soft continuous sound*

En la selva pasan muchas cosas que parecen extrañas. Para la coral la carne de otras culebras es sabrosa. Y cuando dos animales pelean, no importa si uno es grande y el otro muy pequeño. Lo importante es ser rápido y estar siempre listo para evitar el ataque.▫ Hay una clase de araña que en cuestión de segundos puede acabar con la vida de una coral, atancándola cuando está descuidada.

Juan sobrevive° en la selva porque ha llegado a conocer las costumbres de los animales y ha aprendido a interpretarlas.▫ Pero aun así está en desventaja: muchos animales corren más rápido que él y pueden ver en más de una dirección a la vez; otros oyen ruidos que no existen para el hombre, o cambian de colores para confundirse con las plantas. Como dice Juan, la selva es un gran misterio.

sobrevivir: *to survive*

FREDERICK RICHARD

PREGUNTAS

1. ¿Quién es Juan Quetzú?
2. ¿Cómo reconoce a los animales?
3. ¿Cómo es la esposa de Juan?
4. ¿Dónde trabaja su hijo mayor?
5. ¿Qué animales hay en su casa?
6. Cuando Juan venía de regreso al pueblo, ¿por qué se escondió detrás de unas plantas?
7. Cuando ataca la cascabel, ¿cómo lo hace?
8. ¿Qué animal caminaba en dirección a la cascabel?
9. ¿Cómo era este animal?
10. Según Juan, ¿por qué pelean los animales en la selva?
11. Cuando dos animales pelean, ¿qué es lo más importante?
12. ¿Por qué sobrevive Juan en la selva?
13. ¿Por qué está en desventaja?
14. ¿Qué es la selva, según él?

EN EL EXPRESO▫ DE BARCELONA

Tres figuras cargadas de maletas y bultos° iban corriendo entre la multitud▫ que llenaba la plataforma▫ de la Estación de Francia, en Barcelona. Tenían ese aire de urgencia que siempre llevan los viajeros antes de empezar un viaje. Iban mirando los números de los vagones° del ferrocarril hasta que por fin se pararon ante la puerta de un vagón nuevo.

el bulto: el paquete

el vagón: *railroad car*

—Éste es el nuestro. Caramba, yo creía que nunca íbamos a llegar —exclamó Johnny, uno de los jóvenes, que era norteamericano.

—Menos mal, ¡estos bultos pesan° una barbaridad! No sé por qué te compraste tantas cosas —comentó su compañero, depositando el equipaje junto a la entrada del vagón. Era éste un joven moreno, alto y fuerte. Se llamaba Guillermo y era venezolano.▫ Tenía unos tíos en Madrid y los dos amigos habían pasado una semana con ellos antes de salir para Barcelona, la gran ciudad catalana.[1] En esta ciudad Johnny y Guillermo habían visitado a Gloria Berenguer, una muchacha catalana graciosa y entusiasta que era compañera de ellos en la universidad, en los Estados Unidos. Durante sus cinco días en Barcelona ella les había servido de guía y ahora que se marchaban a Italia, vía▫ el sur de Francia, venía a despedirlos.

pesar: *to weigh*

—Mira, Gloria, sube con Johnny a ver si encuentran un compartimiento▫[2] desocupado. Yo me quedo aquí para cuidar el equipaje.

---

[1] **Catalán (catalana)** refers to a person or thing from **Cataluña,** in the northeast of Spain, one of the richest and most industrial regions in the country. Its principal city, Barcelona, is a port on the Mediterranean Sea.

[2] Most European trains have first-, second-, and third-class coaches. The first- and second-class coaches have enclosed compartments for six or eight people respectively. The third-class cars are more like American coaches, though the seats are often made of wood.

Los dos entraron en el vagón y pronto llamaron desde el pasillo:[3]

—Parece que todos están desocupados. No hay nadie en todo el vagón.

—¡Caramba! —dijo Johnny—. Espero que éste sea nuestro tren. Me extraña que no haya nadie aquí.

—No te preocupes —le contestó Gloria—. Es temprano todavía. Pero por si acaso, mientras vosotros vais[4] arreglando las cosas, yo voy a averiguar° a qué hora sale el tren para estar segura que no han hecho ningún cambio... Tenéis suerte. Este vagón es limpio y nuevo.

averiguar: *to find out*

—Ya lo creo, y qué° cómodos son los asientos. Oye, al averiguar lo del horario, averigua también si este vagón va hasta Italia —le pidió Johnny.

qué: *how*

—Claro que no.° Tenéis que cambiar de tren en la frontera□ de Francia.

Claro que no. *Of course not.*

—¡Ah, sí! Se me había olvidado.

—Así parece —dijo ella sonriendo—. Ahora vuelvo.°

Ahora vuelvo. *I'll be right back.*

Los dos amigos pasaron unos minutos arreglando sus maletas y paquetes cuando se fijaron que ya comenzaba a llegar más gente.

—Caramba, espero que nadie se siente en nuestro compartimiento —comentó Johnny, mirando hacia el pasillo donde se oían algunas voces.

—Yo también. Así podremos echarnos° a dormir, por lo menos hasta que lleguemos a la frontera —replicó Guillermo.

echarse: acostarse

En ese momento regresó Gloria.

—Podéis estar tranquilos. El tren sale dentro de quince minutos. Lo que pasa es que casi todo el resto de la gente está en los vagones de tercera clase. Pero veo que ya va

---

[3] A narrow **pasillo**, or "passageway," runs along one side of the coach. Each compartment has a narrow sliding door which opens onto the passageway.

[4] Remember that in Castilian Spanish the plural form of **tú** is **vosotros**, rather than **ustedes**, and has its own set of verb endings. Thus, in the plural, **tú vas** becomes **vosotros vais**, **tú tienes** becomes **vosotros tenéis**, and so forth.

llegando más gente. Debéis cerrar la puerta y echaros[5] en los asientos, así si alguien entra creerá que estáis dormidos y seguirá a otro compartimiento para no molestaros.

—Ay, Gloria —dijo Guillermo riendo—. Tú sabes todos los trucos,° ¿verdad?

el truco: *trick*

—¡Qué va! No son trucos. Todo el mundo hace lo mismo.

—Chica, sin tu ayuda no hacíamos nada. En realidad, gracias a ti, nuestra visita a Barcelona ha sido de lo más agradable.

—Hombre, ha sido un placer. Me alegro que lo hayáis pasado bien. Pero en realidad creo que para Guillermo lo mejor de todo fue conocer a esa rubia misteriosa▫ que ha monopolizado▫ su tiempo en los dos últimos días.

—¿Quién? ¿Erica?... Vamos, no exageres...

—¿Cómo que° no exageres? —interrumpió Johnny—. ¿Y qué nos dices de esos planes que han hecho para verse en Roma la semana próxima?

¿Cómo que...? *What do you mean . . . ?*

—Hombre, es pura coincidencia que estaremos allí al mismo tiempo. Además tendré que verla para entregarle un paquete que debo recibir para ella cuando cambiemos de tren en la frontera.

—¿Qué paquete? —preguntó Gloria—, ¿y cómo lo vas a recibir?

—Un primo suyo que trabaja allí me lo va a entregar. Creo que son unas cosas de su familia.

—¿Y cómo te va a reconocer el primo ese?

—Muy fácil. Erica lo arregló todo por teléfono ayer. Buscará al agente▫ de viajes encargado de nuestras reservas y nos esperará con él.

—¡Caramba! —dijo Johnny—, la rubia esa no pierde tiempo...° pero en verdad, es muy difícil negarse a hacerle un favor a una chica tan guapa... Oye, mujer —siguió Johnny, hablando esta vez a Gloria—, mil gracias por

perder tiempo: *to waste time*

---

[5] Remember that the form **os** is both the reflexive and object pronoun corresponding to **vosotros.**

esta bolsa de comida. Creo que tenemos bastante para una semana. Nunca me imaginaba que en un tren como éste no iban a tener un coche-comedor. ¿Qué le pasa a la gente que no lleva comida?

—Chico —explicó Guillermo— en cada estación el tren hace paradas bastante largas para que los pasajeros compren de comer a los vendedores que están en la plataforma. Así nadie se muere de hambre... pero claro, no es lo mismo que tener comida hecha en casa.

—Pues espero que os guste lo que preparamos. Hay sándwiches de jamón° y de tortilla, unos huevos duros° y fruta.

—¡Estupendo! Ya sabes cómo me gusta este jamón de aquí...

—Pues, siento mucho que no sea más sabroso pero la criada estaba de mal humor□ esta mañana, así que no pude insistir mucho... Bueno, creo que debo bajarme porque si este tren se pone en marcha° acabaré viajando con vosotros hasta Italia. No os olvidéis que al llegar a la frontera de Francia, tendréis que cambiar de tren. Habrá un montón de gente viajando hasta Italia, así que no perdáis ningún tiempo. Espero que el agente de viajes os esté esperando con las reservas porque si no, no vais a encontrar sitio. Este mes de agosto es malísimo para viajar, con tantos franceses e italianos que están de vacaciones. Bueno, ya me voy. ¡Que tengáis un buen viaje!

—Muchísimas gracias —dijo Guillermo—. Te escribiremos desde Italia... ¡Caramba! Creo que el tren se está poniendo en marcha. ¡Apúrate!

—Mil gracias por todo —añadió Johnny—. Nos vemos en Nueva York en septiembre. Todos listos para el último año de estudios, ¿eh?

—¡Huy! Ni lo menciones.□ Hasta pronto. ¡Adiós, adiós!

—¡Adiós! ¡Hasta pronto!

Gloria bajó del vagón y se paró° entre la multitud que se despedía haciendo señas con la mano. Ambos amigos notaron que en ese momento un hombre corpulento□ de sombrero gris y abrigo negro, se dirigió hacia ella y empezó a hablarle, mostrándole algo que llevaba en la

el jamón: *ham*
duro, -a: *hard(-boiled)*
ponerse en marcha: empezar a moverse
pararse: *to stand (up)*

mano y moviendo la cabeza en dirección del coche donde estaban ellos. Guillermo iba a decir algo pero en aquel instante el tren se puso en marcha. Lo último que vieron fue una expresión de sorpresa y de miedo° en la cara de su amiga.

el miedo: *fear*

—¿Quién será ese hombre? —preguntó Johnny.

—¡Quién sabe! ¿Notaste la expresión de miedo que tenía Gloria?

—Sí, hombre, qué raro... Y ella no es una chica que tenga miedo fácilmente.

—Vaya... Será sólo imaginación nuestra.

—Claro, claro —dijo Johnny, tratando de convencerse de ello—. A lo mejor° no era sino algún turista pidiendo direcciones... Y sin embargo, me extraña la expresión que tenía ella.

a lo mejor: tal vez

—Mira, con todos los trucos que sabe esa chica, si está en algún apuro sabrá resolverlo.

—Sí, tienes razón... Ahora ¿qué te parece si dividimos un sándwich de jamón?

—Chico, ¡no me digas que ya tienes hambre! Apenas son las seis y media y acabamos de tomar la merienda en la estación. Aguanta un poco.

—Bueno, si tú insistes. Lo que pasa es que en cuanto me pongo a viajar, tengo ganas de comer...

Hicieron el resto del viaje medio dormidos por el vaivén del tren. Eran casi las once de la noche cuando se dieron cuenta que ya se acercaban a la frontera.

—Oye, Guillermo, creo que estamos llegando. Vamos sacando el equipaje al pasillo, así que cuando pare el tren podremos bajar en seguida.

—Bien, y si quieres, después de pasar por la aduana, yo voy a buscar al agente y al primo de Erica mientras que tú me esperas con el equipaje.

Como Gloria les había advertido, había mucha gente en la estación. El tren para Italia iba a salir dentro de media hora y Johnny, mientras esperaba a Guillermo, aprovechó el tiempo para tomarse un café.

Guillermo regresó unos diez minutos más tarde.

—Johnny, encontré al agente. Dice que no ha podido

conseguir reservas ni de primera clase ni de segunda, pero por lo menos nos va a acompañar al tren para ver si puede conseguirnos asientos en un vagón de segunda.

—Vamos pues. ¿Y el primo de Erica?

—Me dice el agente que nadie ha preguntado por nosotros. Me extraña que no haya venido.

—Hombre, tanto mejor.

—Lo malo es que ella a lo mejor va a creer que no quise cumplir lo prometido.

—Pero, en fin, ya se lo explicarás —dijo Johnny—. No te preocupes.

Los dos chicos se reunieron con el agente que los esperaba. Cuando subieron al tren vieron que ya estaba lleno de gente que caminaba por los estrechos° pasillos, buscando compartimientos libres. Todos iban cargados de paquetes, cajas y maletas. Muchas veces alguien tenía que pararse en la estrecha puerta de un compartimiento para dejar pasar a otro pasajero que venía con los brazos llenos de paquetes.

estrecho, -a: *narrow*

Por fin el agente se detuvo ante la puerta cerrada de un compartimiento; la abrió, prendió la luz y llamó enérgicamente a los cuatro hombres que estaban echados en los asientos.

—¡Hala! ¡Hala! ¡Levántense ustedes y dejen sentarse a estos señores! ¡Levántense! —repitió, sacudiendo a uno de ellos.

Johnny, que miraba desde el pasillo, estaba seguro que los cuatro estaban borrachos° porque aunque el hombre les gritaba ninguno de ellos se movía. Por fin, gracias a la insistencia del agente, dos de ellos se levantaron lentamente. Uno era muy grande y pelirrojo,° parecía ser campesino; el otro era moreno, más bajo y también de aspecto campesino. Miraron hacia los dos jóvenes pero evidentemente no se daban cuenta de lo que pasaba.

borracho, -a: *drunk*

pelirrojo: de pelo rojo

—¡Hala! Levántense. Estos dos señores necesitan sitio —repitió el agente, hablándole al pelirrojo.

"Seguro que éstos están borrachos —pensó Johnny—. ¡Qué mala suerte nos ha tocado, hacer este viaje con cuatro campesinos borrachos, sobre todo este pelirrojo enorme!

Pues, ¿qué se va a hacer? Parece que este compartimiento es el único donde hay sitio. No hay más remedio."

Por fin el moreno pareció entender y sacudió a sus dos otros compañeros, despertándolos.

Al ver que los dos jóvenes ya tenían sitio el agente se despidió de ellos después de aceptar la propina que le ofreció Guillermo.

—Le ayudo a subir sus cosas, señor —ofreció el pelirrojo parándose, ya completamente despierto. Subió ágilmente□ al asiento y comenzó a arreglar los bultos y las pesadas° maletas que había en el espacio□ reservado para el equipaje.

pesado,-a: *heavy*

—Cuidado —advirtió Guillermo—, esta maleta es muy pesada. —Pero el hombre, sin hacerle caso, la cogió y sin ningún esfuerzo la depositó sobre las otras.

—¿Eso es todo?

—Sí, muchas gracias.

Johnny y Guillermo se sentaron y se fijaron en los dos otros hombres que todavía no habían dicho nada. Uno era joven, moreno, de cara simpática; el otro era pequeñito, tan pequeño que, sentado, los pies no le llegaban hasta el piso del vagón. Se veía que era un poco deforme.□

—¡Uf, qué calor! —dijo el pelirrojo, buscando algo entre los bultos que había debajo de su asiento. Cuando se sentó de nuevo Johnny vio que tenía una gran botella° de vino.

la botella: *bottle*

—Señor, sírvase por favor —dijo, ofreciendo la botella a Johnny.

"¡Caramba! Si le digo que no, se va a ofender... pero eso de tomar vino de la misma botella..." —Muchas gracias, señor —dijo en voz alta,° mirando hacia Guillermo como para pedirle ayuda—, es que... no tengo sed...° Acabo de tomar algo en la estación —añadió porque no se le ocurrió otra cosa.

en voz alta: *out loud*

la sed: *thirst*

—Por favor, señor, tome un poquito —insistió amablemente el pelirrojo.

"Bueno, no hay más remedio. Si no acepto el vino, este hombre se va a ofender. Ojalá el alcohol□ haya matado° todos los microbios".□ —Bueno... gracias —le dijo por fin, sonriendo débilmente y aceptando la botella.

matar: *to kill*

Luego el hombre le ofreció la botella a Guillermo, que no la rehusó. En realidad, y ante la admiración de Johnny, la aceptó como la cosa más natural□ del mundo, tomó un trago° y se la devolvió. Cuando cada uno se había servido, menos el pequeñito que rehusó con un gesto negativo,□ el pelirrojo tomó un trago también y luego volvió a meter la botella debajo del asiento. El viaje continuaba tranquilamente. Apenas cambiaron entre ellos unas pocas palabras hasta que de repente el tren pasó por un túnel y todo el compartimiento se llenó de hollín.° Aunque los dos que iban junto a la ventanilla se apuraron a cerrarla, fue en vano: el hollín ya había entrado y flotaba□ por todas partes.

el trago: *drink, swallow*

el hollín: *soot*

—¡Caramba! —exclamó Guillermo—. Parece que este tren no es eléctrico□ como el español. ¡Qué barbaridad! ¡Sólo eso faltaba!

—Sí, señores, y ya verán la cantidad de túneles que tenemos que atravesar. Aun con las ventanillas cerradas, es imposible evitar el hollín —comentó el moreno. Y después de una pausa□ añadió—: Ustedes no son españoles, ¿verdad?

—No, yo soy venezolano, y él es americano —le contestó Guillermo—. Somos estudiantes en los Estados Unidos. Ahora estamos de vacaciones. ¿De qué parte son ustedes?

—Los cuatro somos de Murcia.[6] Vamos a Alemania a trabajar. Ya llevamos treinta y seis horas de viaje y le juro, señor, estamos ya bastante cansados de tanto viajar sin poder dormir bien. Ustedes tienen que disculparnos si no podíamos levantarnos cuando ustedes llegaron, pero era la primera vez que dormíamos desde que habíamos salido de Murcia.

—¡Qué barbaridad! ¡Treinta y seis horas de viaje! ¿Y cuántas más hasta que lleguen a Alemania?

—Con todos los cambios de trenes creo que serán casi dos días más, por lo menos. Esta es la segunda vez que Paco y yo hacemos este viaje —explicó el moreno,

---

[6] **Murcia** is a province in southeastern Spain.

señalando° al pelirrojo—. Los otros dos van por primera vez. A propósito, yo me llamo Jaramillo Soler, a sus órdenes... La esposa de José Antonio acaba de tener un niño —siguió, señalando al moreno más joven—. Si está un poco triste y callado es que le fue muy difícil dejarla así.

señalar: *to point to*

—Hombre, ¡enhorabuena![7] —le dijo Guillermo.

—Gracias, estoy muy feliz —contestó José Antonio sonriendo—. Quiero que ella venga con el niño lo más pronto posible. Pero primero tengo que ahorrar dinero y luego encontrar casa. Me dicen que eso no es muy fácil allá.

—¿Y hasta dónde van ustedes en este tren? —preguntó Johnny.

—Bajamos en Marsella.[8] Allí cogeremos el tren para Suiza y de allí iremos a Alemania —explicó Jaramillo, señalando con la mano unos puntos en un mapa imaginario.▫

—¿Y ustedes también son casados? —preguntó Guillermo.

—No, los tres somos solteros... ¡pero hay que ver la novia que tiene Pepe! Oye, Pepito, saca esa foto de tu novia y muéstrasela a los señores —dijo Paco, hablando al pequeñito.

Este, con una sonrisa, se levantó para sacar su cartera y con eso Johnny y Guillermo se dieron cuenta de que Pepe no sólo era muy pequeño sino también un poco jorobado.° Casi no pudieron disimular° su sorpresa entonces al ver la foto que les mostró: les sonreía la cara de una linda chica. Los dos amigos cambiaron una mirada furtiva▫ que parecía decir: "¿Es posible que este muchacho jorobado tenga una novia tan bonita?"

jorobado: *hunchbacked*
disimular: *to conceal*

—¡Vaya, qué hermosa es! —le dijo Johnny a Pepe y luego pensó para sí: "Probablemente ella también es jorobada y no se ve en la foto, quién sabe."

[7] **Enhorabuena** is an expression of congratulation used in many parts of the Spanish-speaking world.
[8] **Marsella,** "Marseilles," is a French port city on the Mediterranean Sea.

—Parece mentira, ¿verdad? La suerte que tiene este Pepito —comentó Paco, sonriendo y empujando cariñosamente a su amigo.

El tiempo pasaba rápidamente. Afuera la noche estaba oscura y en el vagón, que tenía las ventanillas cerradas para evitar el hollín, hacía bastante calor. Jaramillo se levantó y de entre las maletas sacó una bolsa de comida. Los otros siguieron su ejemplo y pronto todos estaban comiendo y charlando.

Hubo una pequeña pausa en la conversación durante la cual sólo se oía el ruido monótono° del tren que rompía el silencio de la noche. De pronto Paco comenzó a cantar en voz baja, como para sí. En seguida Jaramillo se puso a acompañarle suavemente con silbidos y palmadas,° y mirando a sus compañeros les dijo:

la palmada: *handclapping*

—Vamos, chicos, ¡anímense! ¡Un poco de música!... Oye, José Antonio —dijo, hablando al joven casado e interrumpiendo por un momento sus palmadas—, canta esa canción que te gusta tanto...

Y luego por más de una hora los dos estudiantes escucharon lo que se llama una juerga gitana,[9] excepto que ninguno de los cuatro era gitano: eran simplemente cuatro campesinos españoles de Murcia. Uno por uno los cuatro se pusieron a cantar canciones populares y flamencas[10] mientras los otros le acompañaban con palmadas. Johnny y Guillermo los escuchaban con sorpresa en silencio: cada uno tenía buena voz y cantaba con la mayor naturalidad; parecían profesionales.

De repente los seis se dieron cuenta que el tren se había parado en otra estación. Minutos después la puerta del compartimiento se abrió y apareció en ella una mujer

---

[9] **La juerga gitana** = "gathering of Gypsy singers (and dancers)." A **juerga** is literally a "spree" or "binge," but refers here to the extraordinary energy that is let loose in singing (and dancing).

[10] **Flamenco,** literally meaning "Flemish," is a term used to describe the music and dances of the Gypsies of southern Spain. The themes of Flamenco music are usually of death, love, violence, nostalgia.

grande y gorda, vestida de negro. La acompañaba un hombre que apenas asomaba detrás de ella. Así como era ella de grande y gordo, era él de pequeño y flaco. Hablaban en francés. La señora miró a los seis un poco molesta y le dijo algo en francés al hombre, que evidentemente era su esposo. El les mostró los boletos y las reservas quc tenía para los asientos al lado de la ventanilla. Paco y Jaramillo que ocupaban esos sitios se pararon para dejárselos.

—Pues, chicos, se nos acabó la juerga —murmuró el pelirrojo—. Creo que esta madama□ no está de humor para escuchar canciones.

Después de poner las pocas cosas que traían debajo del asiento los franceses se arreglaron en seguida para dormir. El hombre se recostó° contra la ventanilla y la señora, que se sentaba frente a él, se recostó también en su propio asiento, apretando° su cartera con los dos brazos. El compartimiento ya estaba completo: iban en él ocho pasajeros y como la señora en realidad ocupaba sitio casi para dos, todos iban muy apretados.

recostar(se): *to lean*

apretar: *to clasp, squeeze*

—Con permiso, chicos —dijo Jaramillo levantándose—. Voy a salir al pasillo. Aquí vamos demasiado apretados.

—Lo acompaño —dijo Johnny—. Quiero mirar el resto del tren.

—Al salir, apaga° la luz —pidió Pepe, alejándose lo más que podía de la francesa y recostándose contra José Antonio que iba sentado a su izquierda.

apagar: *to put out*

Apagaron la luz y abrieron la puerta del compartimiento. Al salir al estrecho pasillo Johnny se sorprendió° al ver la cantidad de gente que había. Todos iban tan apretados que apenas había sitio dónde moverse.□ El calor era sofocante.□ Los más afortunados□ iban junto a las ventanillas y podían asomarse por ellas en busca de aire. Algunas personas, sentadas en sus maletas, se recostaban contra la pared del vagón y trataban de dormir; varias mujeres llevaban a sus niños en los brazos porque no era posible dejarlos solos; de vez en cuando alguien quería pasar y entonces todos se empujaban y se apretaban un poco más. Quizás lo peor de todo era el hollín

sorprender(se): *to surprise*

que flotaba por todas partes. Johnny pensaba que nunca en su vida había estado tan sucio.

—Oiga —le dijo a Jaramillo—, ¿usted sabe dónde está el "water"?[11]

—Sí, al fin del pasillo a la derecha.

Johnny entró en la puerta que decía W.C. y se lavó lo mejor que pudo con agua fría, que era la única que había. Al volver al pasillo Johnny vio a una señora joven que llevaba en los brazos a un niño muy pequeño. El niño lloraba° y la joven madre, que parecía que en cualquier momento iba a empezar a llorar también, trataba de consolarlo.▫ Ella estaba recostada contra la pared del pasillo no muy lejos del compartimiento.

llorar: *to cry*

—Mire a esa pobre señora con su niño —le dijo en voz baja a Jaramillo—. Debe estar cansadísima.

—Sí, ya me he fijado en ella. Es española. La oí hablar con su esposo. Como yo no estoy muy cansado, le voy a decir que tome mi asiento.

—Sí, hombre, pero podemos turnarnos.° Yo tampoco estoy cansado.

turnar(se): *to take turns*

—Bueno, de acuerdo° entonces. —Y le habló a la mujer—, Perdone, señora, hay sitio en este compartimiento si usted quiere sentarse.

de acuerdo: *(it's) agreed*

—¡Ay, muy agradecida, señor! Yo creía que ya no podía aguantar más. Mi pobre niño está llorando porque tiene hambre y aquí en el pasillo, con tanta gente y tanto ruido yo no puedo darle...

—Pues, entre y siéntese tranquilamente —le interrumpió Jaramillo—. Cuando venga su esposo le diré que usted está dentro.

Cuando abrieron la puerta se detuvieron con sorpresa y luego se echaron a reír suavemente. Aun con la luz apagada podían notar que la francesa estaba durmiendo

---

[11] **El water** is a term adapted from the English expression "water closet." It is a small room containing a toilet and sometimes a sink. Spanish-speaking people refer to it sometimes by its full name, written as one word, **watercloset,** or by its initials, **W.C.** (**el doble ve ce**), more often simply as **el water.**

con la cartera todavía apretada en los brazos, y que, recostado sobre su gordo y seguramente muy cómodo hombro,° dormía inocentemente Pepe, el jorobadito, como un niño en los brazos de su madre.

el hombro: *shoulder*

—¡Vaya! Se ve que nuestro Pepito se ha encontrado una cama bien cómoda. Oye, Paco —dijo en voz baja, sacudiendo del hombro al pelirrojo para despertarlo—, mira a Pepito, durmiendo como un niño sobre el hombro de la gorda francesa...

Durante el resto del viaje hasta Marsella los obreros españoles y los dos estudiantes se turnaron para sentarse en el compartimiento. A eso de las seis de la mañana el tren llegó a la estación y los cuatro murcianos se prepararon a bajar. Para evitar la confusión de la gente que salía por el pasillo, Pepe y Jaramillo salieron primero a la plataforma, luego José Antonio y Paco les pasaron las maletas por la ventanilla del compartimiento. Después de despedirse de Johnny y Guillermo, que los miraban desde la ventanilla, los cuatro cogieron sus cosas y se alejaron entre la multitud.

Después de una parada de casi dos horas, el tren volvió a ponerse en marcha. Los dos amigos decidieron no tratar de dormir más. Miraban pasar las pintorescas casas de la costa francesa y de vez en cuando veían el azul Mediterráneo y la gente que se bañaba° en sus aguas o que caminaba por sus playas. En contraste, en el tren, los que continuaban el viaje hacia Italia seguían apretados e incómodos y sufriendo a causa del terrible calor.

bañar(se): *to bathe*

Unas horas más tarde se acercaban a la frontera italiana.

Los dos compañeros conversaban sentados en el compartimiento cuando de repente se abrió la puerta y aparecieron tres hombres, dos llevaban uniforme de inspectores de aduana, el otro, un traje gris. Uno por uno los pasajeros entregaron sus pasaportes y abrieron sus maletas que los inspectores revisaron° rápidamente. Guillermo fue el último. El inspector, después de abrir el pasaporte y leer el nombre, miró a Guillermo por un

revisar: *to look over*

momento y, volviéndose hacia el hombre vestido de gris, le entregó el pasaporte diciéndole:

—Es éste.

El hombre habló a los demás:

—Hagan el favor de salir un momento. Quiero conversar con este señor.

—¿Qué pasa, señor? —preguntó Johnny asustado—. Yo soy americano y viajamos juntos. Somos compañeros. ¿Puedo quedarme también?

—Bien, quédese. Yo soy el inspector Bianchi, de Interpol[12] —y volviéndose a Guillermo, le preguntó:

—Usted es amigo de Erica Winkler, ¿verdad?

—Bueno... pues... en realidad... la conocí en Barcelona hace unos días, pero eso de ser *amigo*... —dijo Guillermo tímidamente,▫ poniendo énfasis▫ en la última palabra.

—¿Usted la va a ver en Italia?

El deseo de protegerse° fue instintivo▫ y contestó automáticamente:▫

proteger(se): *to protect (oneself)*

—No, señor.

—¿Y cómo le iba a entregar el paquete que debía recibir en la frontera francesa?

Guillermo se quedó sorprendido y confuso.

—Bueno... —dijo, tratando de disculparse y ya bastante pálido—, yo...

El inspector le interrumpió.

—No tenga miedo, por favor, no le va a pasar nada. Felizmente usted no ha hecho nada malo... todavía. Pero permítame explicarle. Erica Winkler forma parte de un círculo internacional de contrabandistas.▫ Ella sabe aprovechar de sus encantos, sobre todo entre los estudiantes extranjeros, para hacerles llevar de un país a otro paquetes que contienen contrabando. Como las autoridades generalmente no sospechan° de los estudiantes, especialmente▫ en asuntos de contrabando, ella y su grupo han logrado hacer pasar un montón de cosas sin correr ningún

sospechar: *to suspect*

[12] Interpol is the International Police Organization.

peligro. A usted lo hemos estado observando desde que la conoció en Barcelona.

—¿Y por qué no me avisaron? Yo no sospechaba nada.

—Queríamos ver si la cogíamos cuando usted le entregaba el paquete en Italia, pero parece que los contrabandistas sospecharon algo porque el hombre que iba a traerle el paquete no apareció. ¿Dónde la iba a ver usted?

—En Roma... Ella me iba a llamar por teléfono a su llegada.

—Pues estoy seguro que ahora, con todo lo que ha pasado, ella no tratará de ponerse en contacto□ con usted, pero por si acaso, le voy a dar la dirección de la oficina y el número de teléfono. Llámeme si ocurre algo.

El inspector sacó una tarjeta y se la dio a Guillermo. Al salir del compartimiento añadió:

—En el futuro le aconsejo° que tenga mucho cuidado de no meterse con muchachas desconocidas —y añadió con una sonrisa— sobre todo si es una rubia hermosa...

aconsejar: *to advise*

—Sí, señor, muchas gracias.

Cuando los inspectores se habían ido los amigos salieron al pasillo. Johnny observó irónicamente:

—¡Así que tu preciosa° Erica por poco nos mete en la cárcel!

precioso, -a: *lovely*

—¡Hombre, cómo lo iba a saber yo! Menos mal que el inspector nos avisó... Bueno, por lo menos, no nos podemos quejar de un viaje aburrido...

—Perdón, señor, ¿me puede ayudar con estas maletas? —preguntó una agradable voz femenina.

Los dos se volvieron y se encontraron con los grandes ojos negros de una muchacha guapísima que los miraba sonriendo.

—¡Cómo no!, señorita, encantado —se apuró a contestar Guillermo—. ¿Usted baja también en Génova?...

OSWALDO ARANA
ALICE A. ARANA

PREGUNTAS

1. ¿De qué iban cargadas las tres personas?
2. ¿Quiénes son Guillermo y Johnny?
3. ¿Qué hacían en Barcelona?
4. ¿Adónde viajan ahora?
5. ¿Qué truco les aconsejó usar Gloria?
6. ¿Qué planes han hecho Guillermo y Erica?
7. ¿Qué tiene que recibir Guillermo y dónde?
8. ¿Cómo lo va a recibir?
9. La gente del tren que no lleva comida, ¿cómo la consigue?
10. ¿Qué cosas ha preparado Gloria para sus amigos?
11. ¿Por qué dice ella que el mes de agosto es malísimo para viajar?
12. Cuando se bajó del vagón, ¿quién se le acercó a ella?
13. ¿Qué era lo último que vieron los dos amigos?
14. En cuanto llegaron a la frontera, ¿qué hizo Guillermo?
15. ¿Qué no pudo conseguir el agente?
16. Cuando los dos amigos y el agente subieron al tren, ¿qué notaron inmediatamente?
17. Cuando el agente prendió la luz del compartimiento, ¿quiénes estaban allí y qué hacían?
18. ¿De qué estaba seguro Johnny?
19. ¿Cómo le ayudó el pelirrojo a Guillermo?
20. Cuando el pelirrojo sacó la botella de vino, ¿qué hizo con ella?
21. ¿Por qué dijo Johnny que no tenía sed?
22. Al final ¿qué hizo?
23. Ante la admiración de Johnny, ¿qué hizo Guillermo?
24. Cuando el tren pasó por un túnel, ¿qué ocurrió?
25. ¿De dónde eran el pelirrojo y sus amigos y adónde iban?
26. ¿Por qué no podían levantarse cuando Johnny y Guillermo entraron?
27. ¿Por qué estaba triste José Antonio?
28. ¿Qué foto mostró Pepe?
29. ¿Cómo era Pepe?
30. ¿Qué pensó para sí Johnny al ver la foto?

31. ¿Qué sacó Jaramillo de entre las maletas?
32. Por más de una hora ¿qué escucharon Guillermo y Johnny?
33. Cuando todos se divertían, ¿quiénes entraron al compartimiento?
34. ¿Por qué se sorprendió Johnny cuando él y Jaramillo salieron al pasillo?
35. ¿Qué era lo peor de todo en el tren?
36. ¿Por quién sintió lástima Johnny?
37. Al abrir la puerta del compartimiento, ¿por qué se pusieron a reír Jaramillo y Johnny?
38. Cuando los dos estudiantes conversaban, ¿quiénes eran los tres hombres que aparecieron?
39. ¿Qué hicieron todos los pasajeros?
40. ¿Quién era en realidad Erica Winkler?
41. ¿De quiénes y cómo se aprovechó ella?
42. ¿Cómo sabía el inspector tantas cosas sobre Guillermo?
43. ¿Por qué no le avisaron nada a Guillermo?
44. ¿Qué consejo le dio el inspector?
45. Cuando los dos amigos salían, ¿con quién se encontraron?

UN CONCURSO ORIGINAL°

Pepe es un muchacho poco amigo de los estudios y que sólo piensa en divertirse y en divertirnos a todos. Goza haciendo bromas y organizando actividades. Su último éxito° ha sido celebrar° el "Día de la cocinera". Todo comenzó cuando en una de nuestras reuniones nos convenció de su idea.

el éxito: *success*

celebrar: *to carry out*

—Así tiene que ser —dijo Pepe en esa reunión—. Si hay un día de la madre, otro del padre, y otro de los enamorados, ¿por qué no puede haber uno para alegrar a la cocinera, la persona que se preocupa por darnos comidas sabrosas?

Todos pensamos inmediatamente que Pepe quería hacernos alguna broma, y para darle la oportunidad,° aceptamos su idea sin discutir. Así pues, no fue difícil hacerle caso y decidimos que el 13 de abril iba a ser el "Día de la cocinera". Entonces Pepe volvió a hablar y dijo:

—Ahora que ya está decidida la fecha, quiero que sepan que tengo planeado un concurso para escoger° a la mejor cocinera entre las chicas de la clase. ¿Hay alguna objeción?°

escoger: *to choose*

Pepe siguió hablando y explicó las reglas del concurso.

A las chicas les encantó la idea, y en menos de veinticuatro horas ya todas habían cumplido con la primera regla: pagar diez centavos y prometer hacer un delicioso pastel° para el 13 de abril. Ese día nosotros los muchachos íbamos a comer los pasteles, y después decidir cuál de las muchachas era la mejor cocinera.

el pastel: *cake*

Llegó el día esperado, un jueves, y después de la última clase, a las tres y media, comenzó el festejo.

Pusimos varios escritorios juntos, formando un mostrador.° Las chicas se pusieron detrás de él, y destaparon los pasteles.

el mostrador: *counter, showcase*

—No crean ustedes que éste es el que yo hice— dijo María Elena mientras destapaba uno—. El mío no sé quién lo tiene.

—Lo tengo yo —contestó otra chica.

—No, ése que tú tienes es el que hizo Olga —dijo la que estaba cortando° uno de chocolate.▫

cortar: *to cut*

—Sí, hombre —dijo Pepe—, ya sabemos que entre ustedes se han intercambiado los pasteles, así que mejor se callan y nos dan de comer.

—Muy bien, pero hagan cola; si no, no sé cómo vamos a servir.

—¿Para qué hacer cola, Chabela?

—Porque ustedes son muchos y son muy impacientes.

Las chicas comenzaron a servirnos, y poco a poco cada uno de nosotros se vio° frente a un plato con nueve pasteles diferentes. Todos tenían nombre, pero claro, nosotros seguíamos sin saber quién había hecho cuál.

verse: *to find oneself*

El primero que a mí me sirvieron se llamaba "El desconocido", nombre que me pareció muy apropiado▫ para la ocasión. Con un refresco en una mano y el plato de pasteles en la otra, Pepe, Mario y yo nos sentamos juntos.

—Acuérdense —dijo Pepe—, hay que saber hacer esto. Primero los probamos todos y después comenzamos a comer los más sabrosos.

—Pues hombre —añadió Mario—, yo ya empecé por éste de fresas.° A ver que les parece.

la fresa: *strawberry*

—No, las fresas no —dijo Pepe—. Yo comienzo por el de chocolate, éste que se llama "Ojos negros". Las fresas no me gustan.

—El de fresas —dije yo después de probarlo— se parece al que sirvieron en casa de Margarita cuando nos invitó para su cumpleaños. ¿Qué creen ustedes?

—Tal vez tienes razón —contestó Mario—. Yo también creo lo mismo.

—Bueno, pues si ustedes dos ya adivinaron° que ése lo hizo Margarita, adivinen ahora quién hizo los otros ocho.

adivinar: *to guess*

—¿Qué me das —dijo Mario dirigiéndose a Pepe— si te digo quién los hizo todos?

Mario por supuesto no sabía nada, pero tenía ganas de molestar a Pepe, que siempre quería ser el primero en saberlo todo. La discusión siguió hasta que terminamos de dar nuestra opinión sobre cada pastel. Yo no pude acabarlos todos, y creo que los otros tampoco pudieron. Cuando llegó la hora de escoger el pastel más sabroso decidimos votar□ en secreto. Yo decidí que mi favorito era uno que se llamaba "Merienda de ángel". Voté por él pero salió en tercer lugar. Casi todos mis compañeros votaron por "Ojos negros", el de chocolate, claro. "Rositas", que fue el que más le gustó a Pepe, sólo recibió dos votos.

—Ahora ya podemos revelar□ nuestros secretos —dijo Chabela, después que todos los votos□ fueron contados.°

contar: *to count*

—¿Para qué? —dijo entonces alguien que estaba al lado de ella—. Con esa triste cara que tienes ya sabemos que tú no ganaste.

—No —volvió a decir Chabela—. Estoy muy contenta con el resultado. "Ojos negros" es de María Marta.

—¡María Marta! —exclamó entonces Pepe—. Pero si ella misma me lo sirvió.

—Es que ustedes son muy tontos° —añadió Olga—. Creen cualquier mentira. Entre nosotras no hubo ningún intercambio.

tonto, -a: *naïve*

—No más espérense que ahora viene el premio° —dijo Pepe, y mirándome, me hizo señas. Entonces, yo salí a buscarlo.

el premio: *prize*

Nosotros los muchachos habíamos comprado el premio que le íbamos a dar a la mejor cocinera con el dinero que ellas habían dado. Nadie —excepto Pepe y yo— sabía lo que era. Cuando regresé a la clase todos se rieron al verme entrar con una gran caja de cartón que por todos lados decía cosas como, "Peligro", "No lo deje caer", "Debe abrirse en un cuarto oscuro". La curiosidad de María Marta, sin embargo, no pudo esperar, y al abrir la caja se encontró con un montón de papel periódico y una gran bolsa de harina.°

la harina: *flour*

FREDERICK RICHARD

PREGUNTAS

1. ¿Cómo es el carácter de Pepe?
2. ¿Cuál ha sido su último éxito?
3. ¿Por qué aceptaron todos la idea de Pepe sin discutir?
4. ¿Qué tenía planeado?
5. ¿Qué regla cumplieron las chicas en menos de veinticuatro horas?
6. ¿Cuándo comenzó el festejo?
7. ¿Cómo formaron los chicos un mostrador?
8. ¿Qué sirvieron las chicas a cada uno de los muchachos?
9. ¿Qué pastel no le gustaba a Pepe?
10. ¿Qué pastel ganó el tercer lugar?
11. ¿Por cuál votaron casi todos los chicos?
12. ¿Qué pastel le gustó más a Pepe?
13. ¿Quién ganó el concurso?
14. Según Olga, ¿cómo son los muchachos?
15. ¿Con qué compraron el premio?
16. ¿Qué cosas estaban escritas en la caja de cartón?
17. ¿Qué contenía la caja?

EL FANTASMA°

el fantasma: *ghost*

A fines del siglo pasado cerca de la antigua ciudad de Cajamarca, en la sierra del norte del Perú, había una hacienda muy bien conocida, la hacienda Namora. Era famosa por los buenos caballos que allí tenían, por la gran fiesta que daban para celebrar el cumpleaños del dueño, don José Antonio Bueno y, según el folklore regional,▫ por los fantasmas que allí aparecían. Los cuentos sobre estas cosas sobrenaturales▫ corrían de boca en boca° entre la gente crédula▫ y supersticiosa,▫ sobre todo entre los indios que trabajaban en la hacienda. Don José Antonio, sin embargo, no creía en tales° cuentos y se ponía impaciente cuando oía hablar de uno u otro fantasma. Esto fue hasta que un día tuvo que admitir que hay cosas misteriosas que no tienen explicación racional.▫

de boca en boca: *from mouth to mouth*

tal: *such*

Fue durante uno de los peores inviernos de que allí se recordaba. Una de las sirvientas, Encarnación, una indiecita bonita y joven, había decidido dormir en la cocina para protegerse del frío. La cocina era un enorme cuarto en el que había en un extremo▫ un gran horno° en el que se hacía el pan para toda la gente de la hacienda. Encarnación traía sus frazadas y hacía su cama frente al horno que, aunque estaba apagado al anochecer, se mantenía caliente hasta el otro día.

el horno: *oven*

Una noche Encarnación se despertó dando gritos, llena de terror.▫ Al oírla acudieron las otras sirvientas, y, después de calmarla, ella les contó que un hombre vestido de poncho[1] de rayas verdes y grises había aparecido junto al horno y después de mirarla por un instante había desaparecido, dando un grito de dolor y desesperación.

[1] **El poncho,** a word that has been taken into English to refer to a blanket-shaped raincoat, refers in Spanish to a woolen blanket-like garment with a slit in the middle for the head, worn by men as an overcoat. It is equivalent to **sarape.**

—¡Anda, tonta! —le dijo Josefina—, lo habrás soñado. Nosotras no hemos visto ni oído nada.

—Pero te juro que es verdad —insistió Encarnación, sacudiendo a Josefina del brazo—. Estaba parado ahí mismo donde estás tú.

—A lo mejor fue su novio que la quiso ver y ella lo asustó con tantos gritos —sugirió riéndose otra de las criadas.

—¡Que no! Fue alguien desconocido, y además no tengo novio. ¡Dios mío! ¡Qué susto! Nunca olvidaré ese grito.

Por fin consiguieron° tranquilizarla y todos volvieron a acostarse, pero la pobre Encarnación no pudo dormir pensando en la misteriosa aparición.▫

conseguir: *to succeed*

Durante unos días se habló del fantasma medio en broma, medio en serio, pero poco a poco se olvidaron de él.

Unas cuatro semanas después, sin embargo, volvió a pasar lo mismo. Otra vez la convencieron de que sólo había sido una pesadilla° aunque en realidad todos ellos ya empezaban a temer que era un fantasma de verdad y no una pesadilla.

la pesadilla: *nightmare*

La vida cotidiana de la hacienda continuó normalmente y hasta Encarnación volvió a dormir en su acostumbrado lugar junto al horno.

Lo único que interrumpió la rutina▫ fue los preparativos▫ para la tradicional fiesta de cumpleaños del Sr. Bueno, que se celebraba el 18 de octubre. A esta fiesta se solía invitar a todas las mejores familias de las cercanías, quienes pasaban por lo menos tres días gozando de la hospitalidad▫ de los Bueno.

Por fin llegó el día tan esperado. Hubo un almuerzo magnífico, paseos a caballo° por los lugares pintorescos de la hacienda, y luego, en la noche, una cena seguida por un baile. Después de tantas actividades todos estaban cansados y finalmente se acostaron. A los pocos minutos el silencio dominaba▫ toda la hacienda; sólo se oían los ruidos que hacían los animales nocturnos▫ y de vez en cuando algún perro que ladraba en la distancia.

a caballo: *on horseback*

De repente el silencio fue interrumpido por un grito de terror que vino de la cocina. Esta vez se levantaron todos, hasta los invitados, y corrieron a ver lo que pasaba. El Sr. Bueno estaba furioso por el escándalo,° imaginando que era Encarnación otra vez. Se dirigió a la cocina, acompañado de algunos de los invitados, decidido a reprender▫ a la sirvienta severamente.

el escándalo: *scandal, racket*

Al entrar en la cocina vieron que Encarnación estaba inconsciente▫ en el piso; dos de las sirvientas estaban a su lado tratando de hacerla volver en sí.°

volver en sí: *to regain consciousness*

—¿Qué significa este escándalo a estas horas? —preguntó enojado don José.

—Es Encarnación otra vez, señor —dijo con respeto una de las mujeres—. La encontramos así en el suelo.° Parece muerta.

el suelo: piso

—¡Cómo muerta! Ya está volviendo en sí, ¿no ves?

Y así era. Finalmente ayudada por las otras dos mujeres, Encarnación se levantó, y llorando histéricamente▫ contó que otra vez el mismo hombre del poncho verde y gris se le había aparecido, y que la había cogido del brazo, tratando de llevarla con él.

—¡El fantasma! —dijeron las otras sirvientas, con terror.

—¡Basta de tonterías! —interrumpió don José—. Los únicos fantasmas son los de su imaginación. Esta muchacha ha tenido otra pesadilla, nada más.

—Pero, señor, yo lo he visto aparecer y desaparecer▫ tres veces allí en ese mismo sitio.

—Eso es imposible —replicó don José impaciente.

—¿Por qué imposible, José? —preguntó uno de los invitados—. ¿Por qué no cavamos° en ese sitio? A lo mejor el fantasma este está tratando de indicarnos que allí hay un tesoro° escondido.

cavar: *to dig*

el tesoro: *treasure*

—Sí, hombre, cavemos —dijo entusiasmado otro—. Esto de buscar tesoros escondidos me fascina.▫

Trajeron las herramientas° necesarias y pronto sacaron la gran piedra que estaba en el piso en el lugar indicado por Encarnación. Durante unos minutos lo único que se oyó fueron los golpes de las herramientas contra el piso

la herramienta: *tool*

y la respiración agitada de los que cavaban. Los otros se pusieron en círculo y miraban fascinados.

De pronto el golpe de una herramienta se oyó contra algo de madera.

—¡El tesoro! ¡El tesoro! —exclamaron todos y se empujaron por ver más de cerca. Hasta Encarnación estaba dominada por el entusiasmo y había perdido el miedo.

Finalmente vieron ante ellos la tapa° de una gran caja de madera. Todos miraron con gran expectativa cuando el Sr. Bueno sacó de un tirón la pesada tapa. La sorpresa fue general. Primero nadie pudo decir nada, luego todos dieron gritos de incredulidad y Encarnación cayó otra vez inconsciente.

la tapa: *lid, cover*

A la luz débil de la lámpara que iluminaba la escena vieron allí, en la caja, sonriendo en forma diabólica, lo que quedaba de un esqueleto humano, que llevaba un poncho de rayas verdes y grises. De tesoro no había nada.

OSWALDO ARANA
ALICE A. ARANA

PREGUNTAS

1. ¿Dónde estaba situada la hacienda Namora?
2. ¿Por qué era famosa?
3. ¿En qué no creía don José?
4. ¿Qué tuvo que admitir un día?
5. ¿Quién era Encarnación?
6. Durante el invierno ¿qué había decidido hacer ella?
7. ¿Qué pasó una noche?
8. Según Encarnación, ¿quién había aparecido junto al horno?
9. ¿Cómo explicaron el misterio Josefina y la otra criada?
10. ¿Qué pasó cuatro semanas después?
11. ¿Qué se celebraba tradicionalmente el 18 de octubre en la hacienda?
12. ¿A quiénes se solía invitar?
13. ¿Qué diversiones hubo el día tan esperado?

14. Esa noche ¿qué fue lo que interrumpió el silencio, de repente?
15. ¿Cómo estaba Encarnación cuando la encontraron?
16. ¿Qué dijo Encarnación cuando volvió en sí?
17. ¿Qué sugirió hacer uno de los invitados?
18. ¿Qué esperaban encontrar?
19. ¿Qué vieron al abrir la caja?

ASÍ ES LA SUERTE

De un salto, Alfonso bajó del ómnibus y se puso a caminar junto a una línea de casas pequeñas con jardines delante. Este era un barrio muy tranquilo y bonito. La casa de su amigo Ricardo quedaba a unas pocas cuadras de allí. Alfonso llevaba un periódico y una bolsa con el almuerzo que su mamá había preparado para él. Se sentía de muy buen humor esa mañana. Hacía un tiempo magnífico, ideal para las actividades deportivas. Era domingo, y como de costumbre, él y Ricardo habían decidido ir al hipódromo.▫ Las carreras de caballos° empezaban a la una de la tarde, pero ese día el hipódromo iba a estar más lleno que nunca: se corría el Premio San Isidro.[1] A los pocos minutos de andar y muy animado con este pensamiento, llegó a la casa de su amigo. Tocó el timbre y Ricardo no tardó en aparecer:

la carrera (de caballos): *(horse) race*

—¡Hola, Alfonso! Ya te esperaba. Pero pasa, hombre.

—¡Qué tal, Ricardo! ¿Has visto que día tan bueno hace?

—¡Estupendo! Y me alegra mucho, ya que° nunca puedes estar seguro del tiempo en verano.

ya que: *since*

—Es cierto. ¿Estás solo en la casa?

—Sí. Casi todos se fueron a la iglesia. Papá aún está durmiendo. ¿Quieres un café?

—Bueno, pero debemos apurarnos. Ya sabes que se tarda° bastante hasta el hipódromo.

tardarse: *to take time*

—Tienes razón. Y hoy el ómnibus estará más lleno que nunca. Pues, en unos minutos estaremos en camino.

Tomaron el café rápidamente y un momento después salían de la casa. Se dirigieron a la parada del ómnibus que no estaba lejos de allí. Cuando llegaron, ya había mucha gente esperando. El ómnibus no tardó en aparecer. Venía lleno. Los dos amigos se metieron en él como

---

[1] **San Isidro** is one of two modern and fashionable racetracks in Buenos Aires; the other is **Palermo.**

pudieron. La gente conversaba animadamente en el ómnibus. Todos comentaban sobre las carreras:

—Yo voy a apostar° a Gitano. Es el mejor caballo del mundo y ganará esta tarde —decía alguien.

apostar: *to bet*

—¡Qué va! Azabache es mejor que Gitano. Es el hijo de otro famoso campeón, Flecha Negra, que ganó el Premio San Isidro hace unos años —no tardó en responder otro fanático.□

—Ustedes están locos. No saben apreciar□ un buen caballo. ¿Qué me dicen de Relámpago? Ganó el domingo pasado, y de seguro lo hará esta tarde —intervino□ otra persona.

De esa manera la discusión seguía. Cada uno se creía un experto□ en caballos. Alfonso y Ricardo, al escuchar estos comentarios, no hacían sino sonreírse. Era lo mismo de siempre. Hacía mucho calor en el ómnibus y había un cierto olor a° vino. El viaje era muy incómodo pero todos lo aguantaban con paciencia pensando en el espectáculo de esa tarde. El ómnibus daba una gran vuelta antes de llegar al hipódromo, pasando por una serie de barrios residenciales.□ Finalmente, después de un viaje largo, llegaron.

olor a: *smell of*

Los dos amigos se dirigieron hacia la ventana donde vendían los boletos. Felizmente, la cola aún no era muy larga. Una vez que entraron, se sentaron en una de las tribunas° y, como todavía era temprano, se pusieron a comer la comida que habían llevado. Luego, empezaron a discutir el programa de las carreras. De las cuatro carreras de esa tarde, la cuarta era la más importante. Las tres primeras eran sólo preliminares□ y los premios no eran muy altos. En cambio para la última carrera había premios formidables.□

la tribuna: *grandstand*

—Oye, Ricardo. ¿Por qué no apostamos veinte pesos en cada una de las tres primeras carreras?

—No es mala idea. Y si ganamos algo, apostamos eso, más° el dinero que nos queda, en la última carrera.

más: *plus*

—Claro. Y si jugamos bien ¿sabes cuánto dinero podemos ganar? Mira estos premios magníficos.

—Ya lo sé. Ahora ¿a qué caballo apostamos en la primera carrera?

—¿Qué te parece Ciclón? Corre de mucho tiempo, pero la última vez ganó ¿recuerdas?

—Sí, pero prefiero apostar a Príncipe, es uno de los favoritos. ¿Qué dices?

—Como quieras. Apostemos a Príncipe entonces. Espérame. Voy a comprar los boletos de apuesta.

Ricardo fue a una de las ventanas donde vendían los boletos de apuesta y al rato regresó con ellos. La carrera ya iba a empezar. Para entonces, el hipódromo estaba ya lleno de gente. Los dos amigos esperaban con impaciencia el momento de la carrera. Finalmente, se oyó una voz en el altoparlante,° anunciando que empezaba la carrera y dando el orden en que iban a salir los caballos. Estos se pusieron en línea y el público se calló por un momento. Pero, una vez que los caballos salieron, todos empezaron a dar gritos de animación a sus respectivos▫ caballos. Como era la primera carrera, el entusiasmo del público aún no era muy grande. Ricardo y Alfonso participaban de la animación general. Sus gritos eran para Príncipe que iba entre los primeros. A la mitad° de la carrera, dos caballos empezaron a ponerse delante: eran Príncipe y Ciclón. Los dos caballos dejaron atrás° a los otros e iban acercándose a la meta° juntos. De pronto, en los últimos metros, Ciclón sacó ventaja sobre Príncipe y llegó primero.

el altoparlante: *loud-speaker*

mitad: *half*

atrás: *behind*

la meta: *finish line*

—¡Qué mala suerte! —decía Ricardo—. Si te hacía caso, ganábamos. Qué idiota▫ soy.

—Vamos. No es nada. Así es la suerte. Además, fue una buena carrera. Casi gana Príncipe.

—Bueno, decide tú para la segunda carrera.

—Como quieras. Pero olvídate de lo que ha pasado.

En la segunda carrera tuvieron mejor suerte. Ganó el caballo al que apostaron. Y lo mismo ocurrió en la tercera. Ricardo y Alfonso se encontraban de muy buen humor. Parecía que la buena suerte estaba con ellos esa tarde.

Finalmente, llegó el momento más esperado por todos:

se iba a correr la última carrera, la más importante de la tarde. En el público había mucha animación. Se oía a una y otra persona dando su opinión sobre qué caballo iba a ganar la carrera. Los dos amigos se encontraban también excitados como todas las otras personas.

—Dime, Alfonso, ¿cuánto dinero tenemos?

—Hasta ahora, hemos ganado doscientos pesos. ¿Te parece bastante apostar este dinero?

—No, hombre. Apostemos todo el dinero que tenemos. Estamos de buena suerte esta tarde.

—Bueno, pero guardemos algún dinero para el regreso. Siquiera veinte pesos. Entonces, tenemos cien pesos más para apostar.

—Está bien. Son trescientos pesos en total, ¿eh? Caramba. ¿Sabes tú cuánto dinero tendremos si ganamos?

—No me digas. Primero, ganemos el dinero, luego hablamos sobre él.

—Tienes razón. ¿Y a qué caballo jugamos esta vez?

—Vamos a verlos fuera, y después decidimos por cuál apostamos.

Ambos amigos se dirigieron al lugar donde exhibían los caballos antes de la carrera. Ya había allí mucha gente observando los caballos. Estos daban vueltas llevados por sus jockeys.

—Mira, Ricardo. Ese magnífico caballo es Gitano. Es uno de los favoritos —dijo Alfonso mirando el programa que tenía en la mano—. Y su jockey es Chano López. Es uno de los mejores y estoy seguro que hará ganar a Gitano.

—Fíjate en el que va detrás, Trueno. Es un estupendo caballo. A mí me gusta ése. ¿No ves lo impaciente° que está? Tiene muchos deseos de ganar. Y su jockey también es bueno. Es Chico Orgaz.

lo impaciente: *how impatient*

—A mí me parece que Gitano es mejor que Trueno. Mira esa figura que tiene. Es un verdadero campeón.

—Trueno es tan campeón como cualquier otro, y todavía más. Y mira cómo se mueve. Si sólo está esperando que lo pongan en la carrera para ganar.

—Bueno, si continuamos discutiendo, nunca llegaremos

a un acuerdo. ¿Qué te parece si echamos una moneda?°

—Buena idea. Aquí está una moneda. Echala tú.

Alfonso tomó la moneda que le daba su amigo y la echó al aire. Cuando la moneda cayó al piso, se vio que Alfonso había ganado.

—Bueno —dijo Alfonso—. He ganado. Entonces apostamos a Gitano, ¿eh? Toma el dinero, Ricardo, y compra los boletos de apuesta. Te espero en la tribuna.

—Está bien. Regreso en seguida.

Alfonso se dirigió a la tribuna. Estaba nervioso. Pero no era sólo él, ya que había una expectativa general. La gente estaba en tensión▫ antes de esta carrera tan importante. De pronto, oyó que anunciaban por el altoparlante que la carrera ya iba a comenzar. Poco a poco, la gente dejó de hacer ruido. Los caballos ya estaban en la pista° y cada uno ocupaba su lugar. Eran seis. Todos miraban hacia el lugar de donde los caballos iban a salir. La carrera iba a empezar dentro de unos segundos. Ricardo había tardado en volver y Alfonso ya se extrañaba de eso, cuando lo vio aparecer:

—Apúrate, Ricardo. Ya empieza la carrera en seguida.

—Caramba. Había una gran cola para comprar los boletos.

En ese momento se oyó la señal para la salida de los caballos. Inmediatamente se oyeron los gritos de los aficionados:

—¡Esta es la tuya, Relámpago! —gritaba alguien.

—¡Vamos, Gitano! ¡No pares hasta el final! —se oía otra voz.

—¡Corre, Trueno! ¡Corre! —gritaba otro aficionado.

La carrera estaba muy disputada.▫ Dos caballos, Trueno y Azabache, habían sacado cierta ventaja sobre los otros caballos y se empeñaban en ocupar el primer lugar. Gitano venía detrás, en quinto lugar. Los dos amigos estaban nerviosos y no decían nada. Cuando los caballos llegaron a media carrera, todavía Trueno y Azabache se disputaban el primer lugar, iban casi tocándose, pero ninguno podía pasar al otro. De pronto, se vio un caballo que venía acercándose rápidamente desde detrás.

echar una moneda: *to flip a coin*

la pista: *track*

Ahora ya se encontraba en cuarto lugar y pronto iba a pasar al tercero.

—¡Mira, Ricardo! Es Gitano que viene sacando ventaja. ¡Corre, Gitano! ¡Corre!

Alfonso se puso excitado al ver esta reacción° de Gitano. Ya los caballos se iban acercando a la meta. Ahora Gitano ya estaba casi junto a Trueno y Azabache. Eran los últimos metros de la carrera y cada caballo se empeñaba en pasar al otro. Ahora los tres iban juntos, y la meta estaba a pocos metros.

—¡Vamos, Gitano! ¡Es tuya! —gritaba Alfonso entusiasmado.

A unos dos metros de la meta, Gitano hizo un último esfuerzo y llegó primero.

Se oían los gritos de entusiasmo de los que habían apostado a Gitano. Alfonso estaba loco de alegría:

—¡Qué suerte, Ricardo! Ganamos. ¿Te das cuenta? ¡Ganamos! —decía Alfonso sacudiendo a Ricardo por el brazo. Pero éste estaba pálido y no contestaba nada. Alfonso se sorprendió de esta actitud:°

la actitud: *attitude*

—¿Qué te pasa, Ricardo? No pareces estar contento.

—Alfonso, no sé cómo decirte. No hemos ganado nada.

—¿Qué dices? Pero si apostamos a Gitano, ¿no es así? ¿Dónde están los boletos?

—Lo siento. Aposté a Trueno. Cuando iba a comprar los boletos, me encontré con un señor que es un experto en caballos. El apostó a Trueno y me aseguró que iba a ganar. Entonces, yo hice lo mismo. No te lo dije antes porque quería darte una sorpresa.

—Bueno, la sorpresa me la diste de todos modos.° Menos mal que aún tenemos dinero para el ómnibus y no tendremos que volver caminando.

de todos modos: *anyway, at any rate*

RENÁN SUÁREZ

PREGUNTAS

1. Cuando Alfonso bajó del ómnibus, ¿dónde se encontraba?
2. ¿Qué llevaba en la mano?
3. ¿Cómo estaba el tiempo esa mañana?
4. ¿Por qué el hipódromo iba a estar más lleno que nunca ese día?
5. ¿Qué hacía el papá de Ricardo?
6. ¿Sobre qué comentaban todos en el ómnibus?
7. ¿Por qué dijo un aficionado que Azabache era mejor que Gitano?
8. ¿Qué se creía cada persona en el ómnibus?
9. ¿Qué hacían los dos amigos al escuchar los comentarios?
10. Una vez en las tribunas ¿qué fue lo primero que hicieron?
11. En la primera carrera ¿cuánto y a qué caballo apostaron?
12. Una vez que salieron los caballos, ¿qué hicieron todos?
13. ¿Qué pasó en los últimos metros de la primera carrera?
14. Esa tarde ¿por qué parecía que los dos amigos tenían buena suerte?
15. ¿Por qué la última carrera era la más importante?
16. ¿Cuánto apostaron en la última carrera?
17. ¿Por qué sugirió Alfonso apostar a Gitano?
18. ¿Y por qué Ricardo no estuvo de acuerdo?
19. ¿Qué hicieron los dos para llegar a un acuerdo?
20. Cuando la última carrera iba a empezar, ¿hacia dónde miraban todos?
21. ¿Por qué tardó Ricardo en volver a la tribuna?
22. Hasta la mitad de la carrera ¿qué caballos se disputaban el primer lugar?
23. Cuando los caballos llegaron a media carrera, ¿qué se vio de pronto?
24. A unos dos metros de la meta ¿qué hizo Gitano?
25. Al ver esto ¿cómo reaccionó Alfonso?
26. ¿Qué pasó cuando Ricardo compraba los boletos?
27. ¿Por qué no tenían que volver caminando?

UNA NOCHE MUY LARGA

Era fría y húmeda□ como nunca aquella tarde de invierno. Los viajeros, después de cabalgar° por horas sin ver la luz del sol, estaban cansados. Estaba un poco oscuro y ya iba a anochecer pronto. Habían salido de Roboré en las primeras horas de la mañana, tratando de aprovechar al máximo□ la luz del día para viajar por la selva. Esperaban estar en Puerto Suárez al día siguiente. La esperanza de que más o menos en una hora iban a llegar a un lugar donde podían descansar, los hizo apurarse. Continuaban cabalgando silenciosos. Sólo se oía el silbido del viento entre los árboles y los ruidos propios de la selva. Finalmente, después de cabalgar por una hora, llegaron al lugar donde querían pasar la noche. Era la parada habitual□ de toda caravana□ que viajaba por esa parte de la selva. Había allí agua en abundancia□ y un galpón° grande, que fue construido para los viajeros. Estos se echaban a dormir debajo y tenían protección contra la lluvia aunque no contra el frío.

cabalgar: *to ride horseback*

el galpón: *shed without walls*

Dejaron sus caballos a un lado del galpón y como tenían mucho frío, decidieron prender un fuego. Cada uno iba trayendo madera y muy pronto había una enorme pila.□ Prendieron el fuego y se sentaron cerca a él para calentarse. No habían comido desde esa mañana, así que tenían mucha hambre y se apresuraron en sacar la comida que traían en sus bolsas. Calentaron algunos pedazos de carne y un poco de arroz y se dispusieron a comer con gran apetito.□ También pusieron a calentar el agua para el café. Una vez satisfecha su hambre, empezaron a charlar. Eugenio, el más viejo del grupo, fue el primero en romper el silencio, mientras prendía un cigarrillo:

—Bueno, muchachos. Ya no estamos muy lejos de Puerto Suárez. Llegaremos allí mañana al mediodía.

—Eso no está mal. Creo que ya pasamos lo peor del viaje —respondió Manuel—. Hoy tuvimos un tiempo muy malo. El frío no me permitía sentirme las manos. Ni por un momento salió el sol.

—Lo de hoy no fue nada. Espera a que llegue el Sur° —comentó Gerardo echando al fuego el resto de su cigarrillo—. Esta noche el Sur no nos dejará dormir.

el Sur: viento del sur

—Tienes razón. El Sur es terrible. Es un frío que penetra▫ los huesos —habló otra vez Eugenio—. ¿Quién tiene la botella de pisco?[1] Mejor si tomamos unos tragos para calentarnos más.

La botella de pisco fue de mano en mano. Cada uno tomaba un trago y pasaba al otro. Después de un rato y más animado, Eugenio se puso a contar algunas cosas sobre el "pintado", nombre familiar▫ con el que se conocía al jaguar▫ entre los hombres acostumbrados a la selva.

—Como ya decía. No me gusta mucho la idea de dormir en este galpón. Estaremos sin defensa y el pintado puede hacernos una visita esta noche. El es muy listo. Siempre sabe dónde están sus víctimas.

—También con esos ojos que tiene, puede ver en lo más oscuro —añadió Manuel—. ¿Se acuerdan de lo que le pasó el año pasado a ese obrero que regresaba a Roboré?

—Cómo no me voy a acordar. Yo vi cómo quedó el pobre hombre después que el pintado le hizo su víctima —respondió el viejo Eugenio.

Oscar, un muchachito de catorce años y el más joven del grupo, escuchaba nervioso las narraciones▫ de los mayores. Esto no era extraño porque éste era su primer viaje por la selva, su primer contacto▫ con ese mundo de misterios y peligros. Escuchaba muy intranquilo las cosas que se decían sobre el pintado.

—El pintado es el mismo diablo.° Recuerdo muy bien lo que me ocurrió hace dos años —seguía diciendo Eugenio—. Si no es por mi amigo Raúl, no sé lo que iba a pasar. El pintado no pensó en él. Estábamos muy cerca de aquí. Ya iba a anochecer y yo venía en mi caballo,

el diablo: *devil*

---

[1] **Pisco** is a kind of grape brandy now made throughout Argentina, Bolivia, Chile, and Peru. It originated in Pisco, a Peruvian city.

sin darme cuenta que el pintado me seguía. De pronto, oí el ruido de un tiro° detrás. Me di la vuelta y vi caer muerto al pintado. Mi amigo Raúl, que se había quedado detrás por algún motivo y me seguía de lejos, vio al pintado y lo mató de un tiro. Es siempre bueno tener una pistola□ y cuidarse del pintado. Ahora, de noche, lo mejor es el fuego. No hay cosa que haga escapar más al pintado que el fuego.

el tiro: *shot*

—Es verdad. Sólo al fuego le teme ese animal.

Oscar escuchaba todo con mucho interés. Mientras los mayores continuaban hablando, no sentía mucho miedo. Pensó que iba a ser mejor si seguían charlando toda la noche, listos para cualquier emergencia.□ Pero, poco a poco, las voces iban disminuyendo y muy pronto, todos quedaron dormidos.

Sólo Oscar estaba despierto. Y no tenía ni siquiera una pistola. ¿Qué iba a hacer si venía el pintado? No tenía más remedio que mantener el fuego encendido. Se apresuró en poner más madera en el fuego. Miraba a todos lados con miedo. Ya le parecía ver en la oscura selva un par de ojos luminosos□ que lo miraban. El viento era más fuerte ahora y sacudía hasta el tronco de los árboles. El Sur había llegado. En caso de venir el pintado, Oscar no iba a escucharlo porque el ruido del viento no dejaba escuchar nada. Pero Eugenio había dicho "lo mejor es el fuego contra el pintado". Y Oscar continuaba echando más madera en el fuego. El frío había aumentado. Oscar se recostó entre unas frazadas y estaba atento a los ruidos de la selva. El Sur todavía silbaba entre los árboles. De vez en cuando, Oscar echaba más madera en el fuego. Oscar no supo cuánto tiempo estuvo así. La fatiga□ pudo más° y se quedó dormido.

poder más: *to win out*

Eugenio sacudió al muchachito para despertarlo. Oscar abrió los ojos y vio que ya era de día.

—Toma el desayuno, chico —le decía Eugenio dándole una taza de café y un pedazo de pan.

Oscar estaba sorprendido por esta actitud amable. Miró a Eugenio y a los otros, y vió que se sonreían. Y entonces comprendió.

—Perdona, chico. Lo del pintado fue una broma. Pero te agradecemos por mantener el fuego casi toda la noche. Así no nos morimos de frío cuando llegó el Sur.

RENÁN SUÁREZ

PREGUNTAS

1. ¿Por qué salieron los viajeros en las primeras horas de la mañana?
2. ¿Dónde llegaron al anochecer?
3. ¿Qué había allí?
4. ¿Qué hicieron los viajeros para calentarse?
5. ¿Qué comieron?
6. ¿Qué no le permitía el frío a Manuel?
7. ¿Cómo se calentaron más todos?
8. ¿Qué se puso a contar Eugenio?
9. ¿Qué le pasó al obrero que regresaba a Roboré?
10. ¿Por qué estaba Oscar nervioso al escuchar las narraciones?
11. ¿Qué había hecho el amigo de Eugenio hacía dos años?
12. Según Eugenio, ¿qué es bueno tener siempre?
13. ¿Qué creía ver Oscar en la oscura selva?
14. ¿Qué había dicho Eugenio?
15. ¿Qué continuaba haciendo Oscar?
16. A la mañana siguiente ¿qué le ofreció Eugenio?
17. ¿Por qué le agradeció Eugenio a Oscar?

SE DIVIERTEN EN PLAYA BLANCA

Era el mediodía de un sábado y me encontraba en la terminal de Córdoba,[1] la gran estación de autobuses. Había llegado el día anterior a esta ciudad argentina para pasar el verano, invitado por un primo mío que ahora se empeñaba en servirme de guía y en mostrarme todos los lugares pintorescos. Hoy habíamos decidido hacer un viaje en autobús a las famosas sierras cordobesas. Mientras mi primo compraba los boletos, yo observaba a la gente y notaba la continua□ actividad que tenía lugar en este sitio. Para mí era algo nuevo porque venía de una pequeña y tranquila ciudad boliviana.□ Tan pronto como llegaba un autobús, se llenaba de gente inmediatamente y volvía a salir. Los autobuses iban a los diferentes pueblos de las sierras. Anunciaban los nombres por el altoparlante, nombres que no me eran familiares: Alta Gracia, Río Negro, Dique de los Molinos, Playa Blanca... Parecía que toda la gente de la ciudad iba a pasar el fin de semana en las sierras. Y era de comprender. En la ciudad hacía demasiado calor y todos necesitaban el fresco de las playas. Como Córdoba es una ciudad interior,□ el mar no está cerca. Así que la gente se baña en los numerosos ríos y lagos que existen.

Lo que más me llamaba la atención era ver lo guapas que eran las chicas cordobesas y su manera tan femenina de vestirse. Se las veía muy bonitas con sus claros trajes de verano y un pañuelo° en la cabeza. Cuando hablaban en el peculiar□ dialecto□ cordobés más parecía que cantaban. Había oído decir muchas veces que el cordobés es un español cantado. Y ahora tenía esa impresión. Cuando mi primo se reunió conmigo, le dije lo que pensaba.

el pañuelo: *kerchief*

[1]Córdoba in north central Argentina is the third largest city in the country—population about 500,000. Founded in 1573, Córdoba has many colonial buildings and for centuries has been an important cultural and commerical center.

—Oye ¡Hugo! Qué guapas son las cordobesas.

—Tienes razón, chico. Son famosas en Argentina por ser hermosas y elegantes. Y los cordobeses lo saben. Están orgullosos no sólo de sus mujeres sino también de haber mantenido la tradición española. Por eso, el cordobés aprovecha toda oportunidad para decir estos versos:°

> "Córdoba salamanquina[2]
> orgullo de nuestra raza
> una iglesia en cada esquina
> y una diosa en cada casa".

el verso: *(line of) verse*

—Muy bonitos los versos. No dudo que en cada casa debe haber una muchacha hermosa pero ¿por qué eso de "una iglesia en cada esquina"?

—Porque Córdoba es posiblemente la ciudad más católica de Argentina. No exagero si te digo que no puedes caminar dos cuadras sin encontrar una iglesia. Los cordobeses están muy orgullosos de eso como lo están también de su tradición universitaria y de otras expresiones de cultura. A su ciudad la llaman "la culta° Córdoba".

culto, -a: *cultured*

Subimos a nuestro ómnibus que ya estaba casi lleno y unos minutos después salimos. Tardamos en dejar el centro porque había mucho tráfico. Por fin el ómnibus tomó por una de las carreteras que va hacia las sierras. Me divertía bastante mirando por las ventanillas. Pasaba a nuestro lado una larga caravana de coches, motocicletas▫ y aun bicicletas. Las motocicletas se metían por todas partes. Se oían los gritos y los juramentos de los choferes y las bocinas° de los coches. Era toda una confusión. Me parecía que veía una escena de una película italiana. Empecé a comentar con mi primo lo que veía:

la bocina: *horn*

—Hugo, manejar aquí es una locura. Cada persona tiene sus propias reglas.

—Bueno, es cuestión de acostumbrarse. Al principio parece un problema, pero después es fácil.

---

[2] **Salamanquina,** derived from the name of the Spanish city Salamanca, site of a famous university, is used as a complimentary term for any place with a high level of culture.

—Chico, otra cosa que me admira° es ver tantos coches pequeños, de tipo□ europeo.□ Ya sabes que en Bolivia son más populares los coches norteamericanos; apenas se ven los coches europeos.

admirarse: sorprenderse

—Aquí ocurre lo contrario. Los coches europeos son más populares porque son más baratos. Casi todas las compañías europeas tienen fábricas en Argentina. Si manejas un coche norteamericano te creen un millonario.□ Es muy difícil la importación de estos coches.

Seguí mirando por la ventanilla. El camino era muy pintoresco, pasaba a veces por barrios residenciales con casas modernas pero pequeñas y con jardín delante. A veces pasábamos por una plaza y entonces veía a la gente, sentada en los cafés al aire libre, tomando Coca-Cola o cerveza;° su manera de gozar del fin de semana.

la cerveza: *beer*

Mantenía mi atención en las motocicletas. Era interesante verlas pasar en zigzag□ aprovechando todo espacio posible. Casi siempre había una chica sentada detrás. A veces, recibía el saludo de un amigo en la expresión tan española de *¡Adiós, guapa!* Y ella respondía al saludo, muy consciente del piropo que acababa de recibir.

Por fin llegamos a nuestro destino.° Estábamos en Playa Blanca, un pequeño pueblo en plena sierra cordobesa. El ómnibus se detuvo delante de un pequeño hotel. Mi primo y yo nos dirigimos al restaurante donde comimos algo y después, nos dirigimos rápidamente hacia los cuartos donde debíamos ponernos el traje de baño. Teníamos prisa de ir a la playa.

el destino: *destination*

El río no estaba lejos. Bajaba de la montaña y corría, perdiéndose en la distancia. Cuando llegamos allí comprendí por qué se llamaba Playa Blanca a este lugar. La arena del río era muy blanca y fina. Ya había mucha gente bañándose. Algunas personas tomaban sol recostadas en la arena. Un grupo de muchachos se tiraban de cabeza al agua desde una roca. Nos metimos al agua, muy cerca de donde estaba el grupo. Uno de esos momentos en que mirábamos cómo se divertían, oímos el saludo de unas muchachas. *¡Chao!*□ Mi primo y yo contestamos *¡Chao!* Me era muy difícil acostumbrarme a este saludo como equivalente° de ¡hola! porque en mi país se lo usa solamente al despedirse, en forma familiar. Bueno, había mucha influencia italiana en Córdoba.

—¿Por qué no vienen con nosotros? —nos invitó una de las muchachas después de unos minutos. Aceptamos muy contentos y nos reunimos con el grupo. Por mucho tiempo estuvimos jugando en el agua. Arrojábamos objetos dentro y tratábamos de encontrarlos. El agua era muy clara, así que no era difícil hacerlo. Cuando estuvimos cansados nos dirigimos hacia la playa. Los muchachos tenían comida en abundancia, y también habían llevado guitarras y una radio a transistores.° Pusimos algunas frazadas sobre la arena y nos sentamos.

—¿De dónde eres, Antonio? —me preguntó Alcira, una de las muchachas que ya era amiga mía. Ella ya había notado por mi manera de hablar que yo no era cordobés.

—A ver si adivinas —le dije.

—Me imagino que eres de Colombia. Sí, tú hablas como los colombianos.

—No, soy boliviano. Me encuentro aquí desde ayer.

—¡Ah! Eres nuevo en la ciudad. Ya verás que Córdoba te gustará.

En ese momento uno de los muchachos tomó la guitarra y se puso a tocar un poco.

—¡Una zamba![3] Toca una zamba —pidieron todos.

—Bueno ¿qué zamba quieren?

—"Luna tucumana"[4] —dijo alguien y casi todos estuvieron de acuerdo.

—¿Conoces esa zamba? —me preguntó mi amiga.

—¡Oh, sí! Es también muy popular en mi país, sobre todo en la voz de Los Fronterizos.[5]

—Son mis favoritos. ¿Sabes que tuvieron mucho éxito

---

[3] The **zamba** is an old form of folk dance and music, popular in Argentina—not to be confused with the **samba**, which is of Brazilian origin.

[4] **Luna tucumana** is an Argentine folksong. **Luna** means "moon," and **Tucumán** is a city in northwest Argentina.

[5] **Los Fronterizos** are a group of Argentine folksingers.

en Europa? Acaban de regresar y mañana dan un concierto en el Rivera Indarte.[6]

—¿Sí? ¡Qué formidable! Voy a ir porque nunca los he visto actuar.▫

De pronto se oyeron las notas de la guitarra y todos pusimos atención. La voz del muchacho empezó a decir los versos de la hermosa zamba:

> "Yo no le canto a la luna
> porque alumbra° nada más;
> le canto porque ella sabe
> de mi largo caminar.
> Ay, lunita tucumana..."

alumbrar: *to illuminate*

El muchacho tenía buena voz y tocaba muy bien la guitarra, en la mejor tradición del folklore argentino. Cuando acabó, todos aplaudimos.

—Me gustan mucho las zambas —dije a Alcira—. Y en general toda la música del Norte Argentino. Cuando escucho una zamba, pienso en seguida de La Pampa y de la gente que vive en ella.

—A mí también me gustan aunque me pongo triste al escucharlas. ¿Has notado que la zamba siempre tiene algo de triste? No sé cómo explicar. Y dime, ¿conoces algunas ciudades del norte?

—Pasamos tres días en Salta. Es una ciudad pequeña pero bonita. Nos divertimos bastante. ¿Sabes una cosa? La ciudad vive ahora en un estado de locura. Sucede que una compañía norteamericana hace una película allí, Taras Bulba.[7] Como imaginarás, todos quieren tomar parte en la película aunque sea sólo por un minuto. Cada persona se cree un actor▫ de cine, y no se habla más que de la película en todas partes.

—Ya me imagino. Dicen que nuestras pampas se pa-

---

[6] The **Rivera Indarte** is the oldest and largest theater in Córdoba. It is owned by the city government.

[7] **Taras Bulba** is a motion picture based on one of the Cossack tales of Nikolai Gogol.

recen mucho a ese lugar de Ucrania[8] donde tiene lugar la acción de la película. Y a los norteamericanos les cuesta menos dinero hacer la película aquí.

De pronto se oyó otra vez la voz del muchacho que esta vez cantaba un tango.▫

—No podía faltar° el tango —dije a mi amiga—. Creo que todo argentino nace con el tango dentro.

no poder faltar: *to be a must*

—Tienes razón —contestó Alcira riendo.

Muy pronto todos nos encontrábamos cantando acompañando al muchacho. Después de que cantamos varias canciones más, alguien sugirió que era hora de comer. Todos aceptamos encantados la idea.

—¿Quieres un pancho? —me preguntó Alcira.

—¿Qué cosa? ¿Un pancho? Tienes que explicarme lo que es eso.

—¡Ah! Perdona. Estoy segura que en tu país dicen "hot-dog" como los norteamericanos, ¿verdad?

—Sí, pero ¿por qué le llaman ustedes "pancho"?

—Es la forma corta de la expresión "pan y chorizo".°

el chorizo: *sausage*

—¡Qué interesante! Me gusta la palabra pancho.

—Me imagino que ya tuviste oportunidad de oír algunas diferencias entre tu forma de hablar y la nuestra, ¿no?

—Claro. Sobre todo en el uso▫ de algunas palabras. Ayer quise comprar cigarrillos en el centro. Me acerqué a un vendedor y le dije: "Por favor, ¿me da una cajetilla° de cigarrillos?" El me miró por unos segundos y se dio cuenta de que yo era un extranjero. "¡Ah, sí! Quiere una etiqueta° de cigarrillos", me dijo.

la cajetilla: *pack*

la etiqueta: *label, pack*

Alcira se echó a reír:

—¡Eso estuvo regio! Ya irás aprendiendo nuestras peculiaridades.▫

—Creo que sí. Será muy interesante.

Alguien prendió la radio y entonces se empezó a

---

[8] The Ukraine, or Ukrainia, is one of the republics of the Soviet Union. It consists largely of fertile agricultural lands, although its eastern regions have recently become industrialized.

escuchar música de baile. Tocaban un cha-cha-chá muy popular.

—¡A bailar se dijo! —gritaron casi todos. Ya algunos se encontraban bailando desde el momento en que escucharon las primeras notas.

—¿Bailamos? —pedí a Alcira.

Ella aceptó y nos pusimos a bailar, reuniéndonos con los otros. Nuestro entusiasmo aumentó muy pronto y no parábamos de bailar. En la radio tocaban de todo: mambos,□ merengues,□ cha-cha-chás, boleros.□ Para hacer más interesante nuestra fiesta cambiábamos de pareja° en cada baile. Así cada muchacho tenía oportunidad de bailar con todas las chicas.

la pareja: *partner*

Así pasó el resto de la tarde hasta que llegó la hora de volver a la ciudad. Había sido una tarde muy agradable y ya no me sentía un extraño en Córdoba. Ya tenía amigos y el verano prometía mucho.

RENÁN SUÁREZ

PREGUNTAS

1. ¿Qué hacía Antonio en Córdoba?
2. ¿Adónde decidieron ir ese día los dos muchachos?
3. ¿Qué hacía Antonio mientras Hugo compraba los boletos?
4. ¿Por qué era todo eso algo nuevo para Antonio?
5. Durante el verano ¿dónde se bañan los cordobeses?
6. ¿Qué era lo que más le llamaba la atención a Antonio?
7. ¿Qué impresión tenía de la forma de hablar de los cordobeses?
8. ¿De qué están orgullosos los cordobeses?
9. ¿A qué se refiere el verso "una iglesia en cada esquina"?
10. ¿Qué pasaba al lado del ómnibus?
11. ¿Por qué dice Antonio que manejar allí es una locura?

12. ¿Por qué son más populares los coches europeos en Argentina?
13. Cuando a veces pasaban por una plaza, ¿qué veía Antonio?
14. A veces ¿qué piropo recibían las chicas?
15. ¿Qué hicieron los dos chicos cuando llegaron a Playa Blanca?
16. ¿Por qué se llamaba Playa Blanca ese lugar?
17. ¿Qué significa "chao" en Bolivia y qué significa en Argentina?
18. ¿Cómo jugaban los muchachos en el agua?
19. ¿Qué hicieron cuando estuvieron cansados de jugar en el agua?
20. ¿Qué le recuerda la zamba a Antonio?
21. ¿Cómo es Salta?
22. ¿Por qué vivía en un estado de locura?
23. ¿A qué se parecen las pampas?
24. ¿De qué expresión viene la palabra "pancho" en Argentina?
25. ¿Cómo se dio cuenta el vendedor que Antonio era extranjero?
26. ¿Cómo la hacían más interesante la fiesta cuando estaban bailando?

RECUERDOS JUVENILES

I

Una reunión de familia

Era un domingo 28 de diciembre, Día de los Inocentes,□[1] hace muchos años. Recuerdo que la fecha de las elecciones□ presidenciales□ estaba ya muy cerca y la situación era muy tensa□ en todo el país. En mi familia las opiniones políticas□ estaban muy divididas;□ algunos de mis tíos y primos estaban a favor del Partido° Republicano□ Conservador□ y otros a favor del Partido Liberal.□ En vista de esto y para evitar posibles discusiones, hacía mucho tiempo que no había reuniones en casa de mi abuela, como había sido siempre nuestra costumbre.

el partido: *political party*

Ese domingo, sin embargo, era una excepción.□ Mi abuela había invitado a toda la familia a un almuerzo para celebrar la llegada de mi primo Juan José. Política o no política, no podía nadie negarse a aceptar una invitación de mi abuela. Además, era con la condición□ específica□ de que nadie iba a hablar de política, y todos habían hecho esa promesa a mi abuela.

Mi primo Juan José acababa de regresar de los Estados Unidos y toda la familia estaba muy contenta de verlo de nuevo, a pesar de° que él no había terminado sus estudios. Para ser más franco□ es mejor decir que casi no los había empezado.

a pesar de: *in spite of*

El nombre de la universidad donde había iniciado□ sus estudios tenía una pronunciación□ muy difícil, y unos lo decían de una manera y otros de otra.

—Me dicen que "Machachuches" es el estado más

---

[1] **El Día de los Inocentes** commemorates the martyrdom of the children of Bethlehem mentioned in Matthew 2 : 16-18. This day was in English formerly called Childermas. Note that the tricks the people in the story play on one another makes the occasion something like April Fool's Day.

bonito de todos los Estados Unidos, ¿es cierto eso, Juan José? —preguntaba una de las tías.

—¿Por qué no te gustó "Mastassuches", Juan José? —le preguntaba otro pariente.°

—¡Mas-cha-ttu-chess! —corregía otro—, con doble "te" y doble "esse" al final. En el inglés escriben todo con doble▫ consonante,▫ por eso es una lengua tan difícil de aprender. ¿Saben ustedes que la palabra "Misisipi" tiene cuatro eses y dos pes? Qué locos son.

—¿Qué es "misisipi"? —preguntó mi abuela.

—El río más grande del mundo —contestó alguien.

—El Amazonas es el río más grande del mundo —corrigió otro.

—¿Conociste al Presidente▫ de Estados Unidos? —preguntó mi hermana menor.

Y así toda clase de comentarios y preguntas. Todos hablaban, excepto Juan José, quien los miraba a todos con una modesta▫ sonrisa, como un héroe▫ que ha regresado victorioso▫ de la guerra.°

Sus padres, tío Juan y tía Gloria, lo habían mandado a los Estados Unidos con la esperanza de verlo regresar algún día con un diploma de medicina bajo el brazo. Juan José no era sólo la esperanza de sus padres, era la esperanza de toda la familia. Todos pensaban en el prestigio▫ de ser tío, o hermano o primo de un famoso médico graduado▫ de una universidad norteamericana. Todos pensaban también en la posibilidad▫ de recibir algún día servicios médicos gratis.

—¡Será un gran honor para la familia! —le decían con frecuencia cuando él se preparaba para el viaje. Otros le decían en broma:

—En esta casa, querido sobrino y futuro médico, querido doctor▫ don Juan José González, todos seremos clientes tuyos, muy buenos clientes —y le daban fuertes abrazos de despedida, como agradeciéndole por los futuros servicios.

Otros exclamaban solemnemente:

—Pondremos nuestras vidas en tus manos porque sabemos que tú serás el mejor de todos los médicos del

el (la) pariente: *relative*

la guerra: *war*

país —y Juan José escuchaba con mucho placer y orgullo palabras tan halagadoras.°

halagador, -ra: *flattering*

Sin embargo, las cosas no resultaron como todos esperaban. Juan José no aguantó más de seis meses en los Estados Unidos y regresó sin siquiera aprender a hablar bien el inglés. Fue una lástima. Pensar en los grandes sacrificios que sus padres habían hecho por él. Tío Juan haciendo algunos negocios un poquito ilegales para ganar una pequena comisión▫ aquí y allá, como por ejemplo vender entre sus amigos lotería que otros traían de España y otros países. Y la tía Gloria, con su pequeño negocio de huevos y verduras que tenía en su casa. Por muchos años habían estado ahorrando ambos estas pequeñas extras▫ para poder mandar a su hijo a continuar sus estudios a los Estados Unidos.

Según Juan José, la razón de su regreso fue que no aguantó el terrible frío del invierno en Massachusetts. Pero eso es mentira y nadie le creyó; lo que no aguantó fue estar separado de su novia de quien estaba tan enamorado, la chica Romero, hija de un señor muy rico, Rolando Romero. No Rolando Romero de la Torre; ése era el poeta.▫ El padre de ella era Romero Guardia, dueño de los Almacenes Romero & Cía.[2] La chica se llamaba Azucena, muy atractiva,▫ rubia y de ojos azules.

Allí estaba ella, sentada junto a Juan José, muy felices ambos, con románticas▫ miradas de ella para él y de él para ella, mientras los otros hablaban de "Maschachuches" y de sus estudios.

—¡Qué chico éste! —protestaba▫ allá en una esquina de la sala mi tío Pancho que siempre sufría▫ de dolores de cabeza, de dolores de estómago, de dolores de garganta, de reumatismo,▫ de asma,▫ de artritis,▫ de sinusitis,▫ de todo—. ¡El médico de la familia en quien teníamos tantas esperanzas! ¡Ay, qué dolor de piernas! ¡No aguanto más este reumatismo! ¡Qué irresponsabilidad▫ de este sobrino mío, dejar sus estudios de medicina por una chica!

---

[2] **Cía.** is the abbreviation for **compañía,** "company."

—¡Tienes razón, qué barbaridad! —comentaba otro de los parientes que lo escuchaba—. Pensar en el prestigio que tienen los doctores en este país.

—¿Y qué me dices del dinero que ganan los médicos? Los doctores aquí cobran tanto que todos son millonarios —dijo otro.

—Aunque en el caso de Juan José, eso iba a ser difícil —comentó mi padre en voz baja—. Con la clientela□ gratis que lo esperaba...

Los otros no parecieron oír lo que dijo mi padre porque mi tía Esperanza continuó diciendo:

—Cobran demasiado los médicos en este país. Mírate a ti, Pancho, tú que estás siempre tan enfermo, lo que te cuestan las cuentas de médicos.

—No quiero ni pensar en eso. A veces me siento casi perfectamente□ bien, pero entonces viene el fin de mes y comienzan a llegar las cuentas de los médicos. ¡Válgame Dios! De sólo mirarlas me vuelven todos los dolores. ¡Qué irresponsabilidad de Juan José! —continuaba repitiendo—. ¡Dejar sus estudios de medicina por una chica!

II

Los invitados

Entre grandes y chicos éramos más de treinta los parientes reunidos ese día en casa de mi abuela. Casi todos eran sus hijos y nietos.° Pero también estaban presentes□ algunos amigos íntimos de la familia, y unos sobrinos de mi abuela, con sus hijos.

nietos: *grandchildren*

Estos sobrinos de ella eran entonces primos hermanos° de mi padre, primos segundos míos, y los hijos de ellos eran mis primos terceros.

primos hermanos: *first cousins*

Los primos hermanos de una familia generalmente son muy unidos. Los primos segundos y terceros son también considerados como miembros□ de la familia pero no existe hacia ellos el mismo afecto.□ Ellos son considerados como miembros "honorarios" de la familia, nada más. No existe esa íntima relación que uno siente hacia los primos hermanos.

Invitar o no invitar a estos parientes "honorarios" a una reunión estrictamente□ de familia depende algunas veces de su condición social□ y económica. Este era el caso de don Tomás Acevedo, un hombre muy rico que ocupaba una posición□ prominente□ en el gobierno; era diputado□ al Congreso□ Nacional. Este primo segundo de mi padre, primo tercero mío, siempre estaba invitado a esta clase de reuniones de la familia. Todo el mundo le hablaba con mucho respeto, especialmente nosotros los menores que siempre le decíamos "don Tomás". Mi hermana y yo cuando lo veíamos siempre corríamos a saludarlo y le poníamos mucho énfasis en el "don" porque sabíamos que a él le gustaba mucho eso y nos regalaba dinero; algunas veces nos daba veinticinco centavos a cada uno, otras veces cincuenta. Una vez mi hermana le dijo muy cariñosamente "¡Hola, don Tomacito!"[3] y él, que estaba de muy buen humor, le dio un abrazo y le regaló un peso. A mí también me dio un abrazo pero no me regaló nada ese día.

Aquel domingo también en casa de mi abuela, don Tomás parecía estar muy contento, probablemente porque esperaba con optimismo□ la victoria□ de su partido en las elecciones que venían pocas semanas después. Estaba solo porque Matilde, su esposa, andaba de viaje por Europa. Ellos no tenían hijos. Estaba sentado en otra parte de la sala, escuchando a mi mamá y a otras parientes que discutían ávidamente las últimas modas de vestidos.° Miraba a todos lados, como buscando una excusa para escaparse de aquella conversación que tan poco le interesaba. Lo que él realmente□ quería era empezar una buena discusión política con algún rival□ allí presente, pero no podía. El también había hecho una firme promesa de no hablar de política en esa ocasión.

el vestido: *dress*

---

[3] The suffix **-ito** frequently carries the connotation of affection which may even take the place of its meaning of diminutiveness. Other connotations it may carry are disdain and irony.

III

El almuerzo

El ambiente° estaba muy alegre y animado cuando mi abuela nos llamó al comedor:

el ambiente: *atmosphere*

—¡Está servido! ¡Vengan a sentarse!

Como éramos tantos, nos habían dividido en dos grupos, chicos y grandes, tómandose la edad como medida para hacer la división; mayores de quince años y menores de quince años, más o menos. Los menores comieron antes. Yo tenía apenas catorce años pero me pusieron con los mayores porque era alto. Además, tenía pantalones largos y estaba cambiando de voz. Esto me hizo sentirme muy contento porque para mí tal honor significaba que ya yo era un hombre.

A mi hermana menor, Carmen, también la pusieron en el grupo de los grandes, aunque ella apenas tenía trece años de edad. La razón es que ese día tuvo que ponerse unas medias° largas de una de mis hermanas mayores porque todas sus medias cortas estaban rotas o sucias. Mamá le dio también permiso de pintarse un poco la cara y los labios.

la media: *stocking*

Naturalmente, con estas dos cosas, medias largas y labios pintados, mi hermana pasó automáticamente de la categoría▫ de niña a la categoría de señorita. Y ella se sentía muy feliz y parecía muy bonita. Realmente causaba buena impresión, no estaba mal con la cara pintada. Pero no se podía decir lo mismo de sus piernas tan flacas, que con medias largas parecían aún mas flacas.

Yo tenía una hambre fenomenal▫ ese día porque desde el desayuno no había comido absolutamente nada. Y eran casi las dos de la tarde. ¡Seis horas sin comer, qué horrible! Era tanta el hambre que tenía que ya empezaba a sentir náusea. Unas deliciosas tortillas que estaban a corta distancia de mí me tenían casi hipnotizado.▫ Pero para llegar a ellas con el brazo tenía que levantarme de mi asiento, y eso era mala educación. Tampoco me atrevía° a pedirle a nadie el favor de pasármelas porque yo era muy tímido.

atreverse (a): *to dare (to)*

Por fin entró una de las varias criadas que habían

traído de las otras casas para ayudar, con una sabrosísima sopa de albóndigas. Inmediatamente reconocí aquel delicioso aroma□ de mi sopa favorita, y esto hizo aumentar mi apetito aun más. Yo no aguantaba más el hambre. No sentía ningún interés de participar en las risas y en las conversaciones que animaban el ambiente de la mesa. Cuando alguien me preguntaba algo yo sólo replicaba con una sonrisa forzada,□ sin poder quitar mis ojos de aquella sopa que tan lentamente se servía uno de ellos, y después el otro, y después el otro... Y yo estaba sentado en el último asiento de la mesa.

Para pasar el tiempo me puse a hacer cálculos mentales□ de aritmética;□ quería ver cuánto tiempo iba a tardar la sopa para llegar a mí. Calculé que cada persona tardaba un cuarto de minuto, quince segundos más o menos, entre hacer algún comentario tonto sobre la sopa, servirse y decidir cuántas albóndigas poner en su plato. Ahora bien, de la cabecera hasta mi asiento éramos veinte, y conmigo veintiuno. Entonces, veinte por quince; trescientos, trescientos segundos. Ahora, trescientos divididos por sesenta; cinco, cinco minutos exactos.□ ¡¡Cinco minutos!! ¡Que horrible, yo no podía aguantar tanto tiempo más sin comer!

Era necesario tomar una medida drástica.□ Lo cual hice en el momento que todos miraron asustados hacia una puerta de vidrio que acababa de recibir el impacto□ de una pelota de fútbol, produciendo un ruido como de una bomba, y por qué milagro° no se rompió. Eran mis primos que jugaban un violento□ partido de fútbol en el jardín de la casa, al lado del comedor.

el milagro: *miracle*

—¡Mi jardín! ¡Me destruyen□ mi jardín! ¡Mis flores! ¡Tengan consideración de mi casa, Dios mío! —gritó mi abuela, y yo me aproveché de la conmoción□ del momento para tirarme con la velocidad de un tigre sobre aquellas tortillas y meterme instantaneamente□ varias enteras□ a la boca. Traté de hacerlas pasar al estómago pero estaban tan secas° que simplemente no pude hacerlo, mi garganta no las dejaba pasar. Esto resultó en una lucha° interna entre la boca y la garganta, una empujando las tortillas hacia el estómago y la otra cerrándoles el paso. Yo sentía

seco, -a: *dry*

la lucha: *struggle*

que estaba haciendo extrañas contorsiones□ faciales,□ y para no llamar la atención de los otros, bajé la cabeza. En ese momento tuve la mala fortuna de que uno de mis tíos que estaba totalmente al otro extremo de la mesa, se dio cuenta por primera vez que mi hermana y yo también estábamos sentados con el grupo de los mayores, y comenzó a hacer comentarios sobre nosotros:

—¡Qué barbaridad, cómo pasa el tiempo! Parece que fue ayer que trajiste a Raúl y a Carmen al mundo —le decía a mi mamá—. ¿Cuántos años tienes tú, Carmencita? Mírala qué bonita, con los labios pintados, como una señorita.

—Trece y siete meses —contestó mi hermana con orgullo.

—Raúl tiene catorce y medio —dijo mi mamá— y ya está cambiando de voz. A veces habla con una voz profunda,° como un barítono□ y no puedo creer que mi Raulito es ya todo un hombre.

profundo, -a: *deep*

Qué horriblemente incómodo me sentía yo. Yo, tan tímido, sentado por primera vez a la mesa con los mayores, con aquella masa de tortillas en la boca imposibles de hacer pasar por la garganta. Y ahora estaban hablando de mí, y de mi voz de barítono. Ya sentía yo que la próxima pregunta era para mí. Y así fue:

—Habla para oírte —dijo Juan José—. Antes de irme para los Estados Unidos todavía hablabas con voz de soprano. Vamos primo, tengo muchas ganas de oírte, dinos algo.

Todos me miraban esperando oír mi voz. Yo los miraba a todos con una expresión asustada y tratando de ocultar° con una pequeña sonrisa mi problema con las tortillas. Hice un movimiento negativo□ con la cabeza, pero no dije nada. Uno de los que estaban cerca de mí me preguntó:

ocultar: *to hide*

—¿Cómo se llama tu profesor de inglés?

—"Ef una feñorita americana, Fufana Efmif" —contesté yo molesto° por no poder pronunciar claramente, especialmente las eses.

molesto, -a: *bothered*

—¿Cómo se llama? —preguntó mi tío desde el otro

extremo de la mesa. —¡Quítate la mano de la boca, chico! ¿Qué te pasa, Raúl, estás enfermo? ¡Habla más claro!

¡SUZANA ESMIIITH! —grité perdiendo la paciencia, y volaron° por todos lados los pedazos de tortilla. Todos empezaron a reírse de mí y yo me puse más rojo que un tomate. Alguien me ofreció un poco de agua y con eso hice desaparecer por fin el resto de las tortillas.

volar: *to fly*

IV

Día de los Inocentes

Después de la sopa comenzaron a circular rápidamente y en gran variedad▫ otros deliciosos platos: arroz con calamares, chuletas de cerdo, varias clases de ensaladas,° grandes cantidades de papas fritas, tacos de carne, tacos de pollo, tamales, etc. Todos comían con gran apetito y la conversación era muy animada y tan variada como la comida: de los chismes pasaban a las bromas, de las bromas a las últimas modas de vestidos, otra vez a los chismes, luego al asunto de la lotería; de todo se hablaba excepto de política. Don Tomás y uno de mis tíos trataron varias veces de tocar ese punto, pero cada vez que empezaban a hablar de eso eran cortados con una mirada seria de los otros, o con la revelación▫ de un nuevo chisme, o con alguna broma del Día de los Inocentes. Yo quise tomar parte en la conversación pero nadie me hacía caso a lo que yo decía. Entonces decidí seguir comiendo, nada más, y cuando hablaba era solamente para pedir más chuletas o más arroz. Mi plato era una montaña de huesos y yo sentía el estómago como una pelota de fútbol.

la ensalada: *salad*

Las bromas de "inocente" ese día fueron muchas, unas divertidas y otras malas. La de la araña le hizo tal efecto a mi tía Luisa que casi le dio un ataque al corazón.°

el corazón: *heart*

—¡Tía Luisa! ¡Tía Luisa! —interrumpió Juan José cuando todos escuchaban con gran interés y atención un chisme sobre los nuevos vecinos—. ¡Qué es eso que tiene en la cabeza!

—¡Quee! ¡Por Dios, QUEE! —gritó ella asustada y nerviosa.

—¡Una araña! ¡Es una araña, pero no se mueva! ¡No se mueva, tía Luisa!

Tía Luisa dio un tremendo grito y se levantó de un salto con los brazos extendidos□ y luego, en esa posición semiparalizada□ y sin hacer ningún movimiento de la cabeza, siguió gritando:

—¡¡QUITENMELA!! ¡¡QUITENME ESE ANIMAL DE LA CABEZA!!

Todos inmediatamente comprendieron la broma de Juan José y a una sola voz le cantaron:

—¡Pasó por inocente, pasó por inocente!

—¡QUITENMELA! ¡QUITENMELA! —continuaba ella gritando pálida y con los ojos muy abiertos. Tuvieron que cogerla del brazo y darle agua porque parecía que ya iba a desmayarse.° Pero nadie la tomó muy en serio porque todos la conocían muy bien y sabían que le gustaba mucho dramatizar□ las cosas.

desmayarse: *to faint*

A mi cuñado° Rogelio le hicieron una de las mas viejas y tradicionales bromas, una broma que supongo en todas partes del mundo es la misma, y también cayó de inocente. Salió a la calle a comprar cigarrillos y cuando volvió alguien le informó□ que lo habían llamado por teléfono, un asunto muy urgente:

el cuñado: *brother-in-law*

—Un Sr. León□ —le dijeron— dejó su número de teléfono y dijo que debes llamarlo inmediatamente. Aquí está: es el 33-45-00.

A Rogelio no se le ocurrió ni remotamente□ que le estaban tomando el pelo y se dirigió con un aire de importancia al teléfono que estaba a la entrada del comedor, pidiendo silencio mientras él hablaba por teléfono. Luego marcó° el número. Yo corrí a escuchar al teléfono de arriba.

marcar: *to dial*

—¡Trrrr! —el teléfono. Silencio, nadie contestó.

—¡Trrr! —otra vez. Una voz aburrida de hombre contestó por fin:

—¿Aló?—

—¿Aló? Deseo hablar con el Sr. León, por favor. De

parte de Rogelio Bonilla —dijo mi cuñado con un tono□ de voz muy importante. La otra voz, acostumbrada a este tipo de llamadas, contestó cambiando a un suave tono femenino:

—Perdone usted, Sr. Bonilla, pero el Sr. León acaba de salir en este momento. ¿No desea dejar algún recado? Habla con su secretaria,□ la señorita Elefanta.□

—No, gracias, yo llamo más... —y dándose cuenta entonces de que estaba hablando con el Parque Zoológico,□ colgó sin terminar su frase.□ Tratando de reír con los otros pero rojo como un tomate, volvió a la mesa mientras todos le cantábamos:

—¡Pasó por inocente, pasó por inocente!

V

Chismeando

Sin darle mayor importancia al asunto, continuó mi tía Esperanza, la tía soltera que vivía con mi abuela, contando sobre los nuevos vecinos:

—Como les decía, son gente rica pero de esos ricos nuevos que no son nadie, no son de buena familia. El señor se llama Aristóteles, imagínense. Es un inmigrante□ español que llegó al país hace algunos años, sin un centavo, pero comenzó vendiéndoles ropa barata a los campesinos y a los indios. Viajaba en mula□ por todo el país con una gran maleta de ropa —eso me cuentan gente que lo conocía antes— y entonces vendía un par de zapatos por acá, un sombrero por allá, frazadas, etc., todo a crédito. Y así, poco a poco, con la paciencia que se necesita para hacer que los indios y campesinos paguen una cuenta...

—Francamente se necesita ser un héroe —comentó alguien—. Siempre se esconden cuando les van a cobrar.

—Pero don Aristóteles los encontraba —continuó mi tía— y los hacía pagar. Y así, poco a poco fue ahorrando su dinero. Y también que se casó con la hija de uno de sus clientes, un campesino muy rico. Ahora han venido a vivir a la capital y se compraron esa casa enfrente de nosotros. Tienen dos hijas en un colegio en Europa. Ella se llama Tentación, una simple campesina con aires de señora pero es muy buena y muy simpática. Es diez años mayor que él, pero el año pasado estuvieron en los Estados Unidos y allí ella se hizo una operación□ de cirugía plástica.□ La operación les costó miles de dólares, y ahora dice que tiene treinta y nueve años, se quita quince.

—¿Y cómo sabes tú tanto de esa gente cuando hace apenas una semana que se mudaron a esa casa? —preguntó mi padre.

—Porque la cocinera que ellos tienen le contó al hombre que les lleva la leche, y ese hombre es muy amigo del policía de la esquina, que es novio de la cocinera de nosotros, y le contó a él, y el policía le contó a Domitila, la cocinera de nosotros, y ella me contó a mí. Además, ayer fui yo a visitarlos para ponerme a las órdenes de ellos —continuó mi tía inocentemente— y pude notar la manera de vestir de ella, tan extravagante que era ridícula.□ ¡Y qué perfume tan fuerte tenía la señora! Nos sentamos en la sala y ella muy amable, pobrecita, me sirvió a esas horas, a las diez de la mañana, una copa de champaña. En la sala tenía una gran fotografía□ de ella con su esposo el día que se casaron, un poco ridículo, ¿no creen? Claro, yo les pido a todos ustedes por favor no repetir nada de lo que les he contado. Yo sé que ustedes no van a repetir y por eso les cuento esto muy confidencialmente. A mí no me gusta criticar□ a la gente ni hacer chismes.

VI

Discusión política

Yo me levanté porque tenía que ir al baño. El baño estaba ocupado□ y entonces me puse a contar de uno a cien para así pensar en otra cosa mientras tanto. Cuando iba por ochenta y siete salió por fin mi primo Alberto y entré yo. Unos minutos más tarde volví al comedor y ya estaban sirviendo el café y el postre, una deliciosa torta con helados. Mi abuela no quiso tomar postre y como estaba muy cansada fue a su cuarto a dormir la siesta.

Todos aprovecharon su ausencia para hablar del asunto prohibido:. política. Estalló° inmediatamente una fuertísima discusión.

estallar: *to break out, explode*

—¡El Partido Republicano Conservador representa el orden y la seguridad° de nuestro país! ¡Esa es nuestra tradición y por eso vamos a triunfar° en las elecciones! —exclamaba° vehementemente° mi primo don Tomás.

—¡Orden y seguridad para la clase de los ricos! —replicó mi primo Marco Antonio, estudiante de segundo año de derecho de la Universidad Central—. ¡Un triunfo más de su partido, don Tomás, significará un desastre para toda la nación, para los pobres, para los obreros, para los indios, para los campesinos, para todo el mundo! ¡Excepto para ustedes, los ricos!

—¡Insolente!° —exclamó tío Pancho en defensa° de don Tomás—. ¡Cómo te atreves hablar en tal forma, insultar° a don Tomás!

—No importa, déjenlo expresar° su opinión, todos tenemos derecho —dijo don Tomás expresando una falsa° calma—.° Son estos jóvenes idealistas que todo lo quieren cambiar. No se dan cuenta que los campesinos y los indios no tienen ningún interés en cambiar su condición de vida. Ellos están muy contentos como están porque saben que nosotros les damos protección y les ayudamos siempre en cualquier necesidad; ellos viven muy tranquilos.

—¡Y se mueren de hambre también! —exclamó Marco Antonio—. ¡Reforma Agraria!° ¡Revolución!° ¡Eso es lo que necesita este país y eso es lo que vamos a hacer nosotros los jóvenes idealistas! ¡Al diablo con la tradición! ¡Viva el Partido Liberal!

Las cosas iban de mal en peor. Nuestra familia estaba totalmente dividida en asuntos políticos. Unos apoyaban° al Partido Republicano, otros estaban a favor de la causa liberal. Todos discutían, cada vez en tono más violento, casi comenzaban a gritar y a hacer de una discusión política un asunto personal. Los únicos que no participaban en la discusión eran mi abuela que dormía tranquilamente su siesta; Juan José, que desde que había

apoyar: *to support*

regresado de los Estados Unidos parecía haber perdido todo interés en la política. Tan románticamente miraba a Azucena y ella a él, que parecía que en cualquier momento iban ambos a flotar por el aire mientras los demás discutían; y finalmente mi hermana y yo que seguíamos repitiéndonos el postre. Y naturalmente, fuera de la discusión también estaban todos los otros chicos que seguían felizmente en sus juegos. Pero ellos ayudaban a hacer más grande el ruido y la confusión porque pasaban corriendo por el comedor y por la sala, y volvían a pasar una y otra vez, jugando a los indios y a los "cowboys".

Gracias a Dios, algo ocurrió en ese momento que salvó° la situación.

salvar: *to save*

VII

¡Se juega la lotería!

—¡Silencio todos! ¡Silencio, por favor! —era la voz de mi papá, que viendo en su reloj que eran casi las cinco se había ido a escuchar la radio—. ¡Silencio, que ya están comenzando a anunciar los resultados de la lotería!

—¡La lotería! ¡La lotería! —gritaron casi todos simultáneamente, y olvidándose en forma instantánea del gran debate▫ político, corrimos todos a la sala.

Era el sorteo° de Navidad, el gran sorteo de Navidad, ¡¡con un millón de pesos para el primer premio!! ¡Quinientos mil para el segundo! ¡Doscientos cincuenta mil para el tercero! Este sorteo de Navidad se acostumbraba a jugar siempre el domingo antes de la Navidad; pero este año, por razones de algún problema político, había sido necesario posponerlo para el domingo siguiente, este 28 de diciembre, Día de los Inocentes.

el sorteo: *drawing (of a lottery)*

El locutor terminó un anuncio comercial y luego, con voz dramática y profunda, dijo:

—¡Atención! ¡Atención, queridos amigos! ¡Ha llegado el momento de la verdad! ¡Atención porque en este momento van a anunciarse los resultados del gran sorteo de Navidad! ¡Escuchen y buena suerte!

Una pausa de silencio. Tensión muy grande en la sala, cada uno con su billete de lotería en la mano, unos con un billete entero, o dos enteros, o tres; otros con medio billete, según las posibilidades económicas de cada uno; otros con sólo un décimo de billete. Y la situación probablemente era la misma en todas las casas y en todo el país. Era el momento de la verdad, el momento de nuestras esperanzas, de las esperanzas de todo el mundo. Los ricos por el placer de ver sus fortunas aumentadas o multiplicadas; los pobres... los pobres, los muy pobres siempre viven de esa esperanza, y de una manera u otra siempre logran comprar un pedacito de la lotería. Esa es su esperanza, y es de gran efecto psicológico, porque les da energía para seguir adelante.°

seguir adelante: *to keep going*

—¡San Antonio, San Rafael, San Pedrito!, ¡tráeme suerte! —exclamó una tía.

—¡Virgen de los Milagros! Prometo dar a los pobres la cuarta parte de lo que me gane —dijo otro.

—¡Silencio! —exclamaron varios a un mismo tiempo.

Dos voces comenzaron por fin a dar los resultados, una anunciando el número del billete premiado, la otra anunciando la cantidad de los premios:

—¡Cuarenta y tres mil setecientos veintiocho! —gritó claramente la primera voz.

—¡Quinientos mil pesos! —contestó en un tono triunfal la segunda voz. Y ambos, el número y la cantidad, fueron repetidos. Murmullos° y comentarios nerviosos en la sala. Nada más. Silencio.

el murmullo: *murmur*

—¡Noventa y ocho mil cuatrocientos diecinueve! —anunció la primera voz.

—¡Doscientos cincuenta mil pesos! —y ambas fueron de la misma manera repetidas. Más murmullos en la sala. Pero nada, nadie tenía nada.

—Aquí viene el mío —dijo mi primo Alberto.

—¡Silencio! —gritaron todos automáticamente.

—¡Diez mil ciento tres! ¡Repito el numero! —anunció el locutor con mucho cuidado—. ¡UNO CERO UNO CERO TRES!

—¡¡UN MILLON DE PESOS!! —respondió triunfalmente la segunda voz.

Silencio en la sala. Sólo unos pocos murmullos y unos papeles que se rompían, ningún otro ruido. Caras tristes, resignadas.

De repente hubo una nueva conmoción.

—¡Ay, Dios Mío! ¡Algo le pasa a Rogelio! —gritó mi hermana Cecilia, su esposa, y todos miramos hacia un rincón de la sala. Allí estaba mi cuñado, en ese rincón, solo, temblando° de pies a cabeza, pálido como un muerto, con una sonrisa de idiota en la cara y haciendo ruidos extraños con la boca. Mi hermana corrió hacia él asustadísima. Todos corrimos también. No eran ruidos extraños, era que Rogelio estaba tartamudeando° una palabra:

temblar: *to tremble*

tartamudear: *to stutter*

—¡Aaaa-k-k-k-aaa—k-k-kiii!

—¡Qué te pasa, Rogelio, mi amor!°

el amor: *love*

—¡A-a-a-a-kkk-k-kiii! —seguía tartamudeando mi cuñado.

—¡Un médico! ¡Por Dios, traigan un médico! —gritaba ella desesperada. Y la confusión otra vez. Todos gritaban y corrían de un lado para el otro.

—¡Aaaa-k-k-kiii!

—¡Aquí dónde, amor mío! ¿El corazón?

—¡Aaa-k-k-iii! —repetía el enfermo.

—¿El estómago? ¡QUEE! ¡Dime, Rogelio, habla! ¡No te mueras! ¡Escúchame, háblame! ¡Soy yo, tu esposa!

—¡JUAN JOSE! —ordenó mi tío Pancho, furioso—. ¡Tú, algo de medicina tienes que saber! ¡Haz algo!

Juan José recomendó una aspirina.

Yo decidí tomar una medida más drástica. Corrí al baño, llené una palangana° de agua fría, y sin consultarle▫ a nadie volví rápidamente a la sala y se la eché en la cara a Rogelio. La reacción fue inmediata; todos me gritaron: —¡Estúpido! —y alguien me dio un par de coscorrones fuertes. Yo me puse la palangana en la cabeza como protección y entonces no hubo más coscorrones.

la palangana: *washbasin*

Mi medicina, sin embargo, dio resultado y pocos segundos después Rogelio también reaccionó:▫

—¡Aquí está! —pudo por fin decir mi cuñado, abriendo

su mano derecha y dejando ver un billete de lotería todo hecho un puño°—. ¡Aquí está! ¡Aquí lo tengo! ¡Tres décimos del primer premio! ¡Tres décimos del millón!

—¡TRESCIENTOS MIL PESOS! —gritamos todos casi al mismo tiempo. Y todos se tiraron a abrazar a Rogelio y a abrazarse los unos a los otros, celebrando la victoria de mi cuñado, algunos con sinceridad,▫ otros con un poco de envidia.

hecho un puño: *crumpled* [**puño** = *fist*]

Alguien corrió a despertar a mi abuela y la trajeron medio dormida y todos la abrazaban y bailaban con ella, y ella como una muñeca de trapo,° sin comprender qué pasaba.

muñeca de trapo: *rag doll*

La fiesta realmente empezó entonces, y todo el mundo seguía abrazando a mi cuñado y felicitándolo.[4] Cecilia, su esposa, lloraba. Don Tomás aprovechó la oportunidad para hacer un discurso político, pero nadie le hizo caso. Marco Antonio, el idealista, un poco más reservado;▫ pero también estaba contento porque el quería mucho a Rogelio y a Cecilia. Rogelio prometió regalos para todo el mundo y eso aumentaba la felicidad de los presentes. A mí me prometió regalarme una bicicleta pero nunca cumplió lo prometido. En cambio, gracias a él pude ir a Inglaterra a continuar mis estudios.

Así, en ese ambiente alegre y de felicidad terminó aquel almuerzo, aquella fiesta, aquella reunión de la familia en casa de mi abuela (q.p.d),[5] un domingo 28 de diciembre, Día de los Inocentes, hace mucho, mucho tiempo.

---

[4] **Felicitar** means both "to congratulate" and "to wish (someone) happiness," and is most commonly expressed in the words **¡Enhorabuena!** and **¡Felicitaciones!**

[5] The initials **q.p.d.** stand here for **que en paz descanse,** "may she rest in peace."

VIII

Hoy

Han pasado los años. Los que entonces éramos pequeños, hemos crecido,° los mayores de aquellos días se han hecho viejos, y los viejos han muerto, casi todos, como mi abuela (q.p.d) y varios de mis tíos (q.p.d). Ahora mis primos con sus hijos pertenecen° a nuevos grupos de familia donde mis tíos ocupan ahora el lugar de mi abuela, son el centro de su familia, y en sus casas se reúnen sus hijos y sus nietos. Juan José, por ejemplo, que naturalmente se casó con Azucena y tiene ahora catorce hijos, cuatro de ellos médicos, se reúne con los hermanos de Azucena y sus sobrinos en la casa de sus padres; pertenece a otra familia.

crecer: *to grow*

pertenecer: *to belong*

En el caso nuestro, ahora nos reunimos, desde la muerte de mis padres, en la casa de Rogelio, a quien consideramos el mayor de los hermanos y el más rico. El dinero que ganó él aquella vez en la lotería lo metió en muy buenos negocios y es hoy día casi un millonario.

Pocos días después de las elecciones presidenciales de aquella vez, en las cuales el Partido Republicano Conservador obtuvo una victoria más, desapareció de la ciudad mi primo Marco Antonio, el idealista, con tres de sus compañeros de universidad. Algún tiempo después supimos que se había unido a un grupo de izquierda llamado Movimiento 18 de Enero, y que se había ido a las montanãs a pelear en las guerras de guerrillas▫ contra las fuerzas▫ del gobierno. Unos meses más tarde nos llegó la triste noticia dc quc Marco Antonio había muerto en una batalla.▫ El Movimiento 18 de Enero no logró vencer° a las muy superiores▫ fuerzas del ejército, y hoy día el gobierno, apoyado por los militares, esta todavía en manos de la oligarquía▫ del Partido Republicano Conservador, el guardián▫ del orden y de la seguridad del país, protector de los pobres, y de los indios, que son más pobres que los pobres.

vencer: *to win*

Sí, el país sigue en manos de unas pocas familias ricas. Es cierto, después de la revolución hubo una "gran reforma" agraria y todos los indios y campesinos que no eran dueños de tierra recibieron casi todos un pedacito de tierra, pequeñito, claro. Y todo el mundo, aparentemente, quedó muy contento. Excepto que hoy día los pobres son tan miserables como antes y los ricos igualmente ricos.

Don Tomás no pertenece ahora al Partido Republicano Conservador. Ni es diputado del Congreso, ni tiene dinero, ni nada. Perdió poco a poco toda su fortuna□ por descuido de sus negocios. Gastaba todo su tiempo y dinero en la política y llegó el día en que quedó en la ruina total.□ Perdió todas sus propiedades y negocios, la fábrica de camisas, su casa y hasta sus automóviles.□

Ahora anda a pie por las calles, desde el día en que no tuvo dinero para cambiarle la trasmisión□ al último de sus carros. Su ex-□ chofer y fiel° amigo continúa acompañándolo a pie a todos lados, sólo que, probablemente por costumbre de su antigua profesión, le gusta caminar siempre a la izquierda y un poquito adelante° de don Tomás.

fiel: *faithful*

adelante: *ahead*

Ah, pobre don Tomás, viejo y flaco y triste. Ya no es aquel hombre elegante que usaba sólo ropa fina, importada. Ahora toda su ropa, aunque siempre limpia y bien planchada, es nacional, barata y mala. Su mujer murió y ahora él anda solo, acompañado de su chofer. Tiene muy pocos amigos y recibe muy pocas invitaciones a las reuniones de la familia. Muy pocos amigos le quedan y casi nadie lo saluda ahora con el "don". La gente es muy ingrata.

Yo regresé recientemente al país despues de haber estado trabajando algunos años en Europa. Hacía mucho tiempo que no veía a don Tomás. Pero un día de la semana pasada me encontré con él y con su ex-chofer en la calle. Al verlo volvieron a mí muchos recuerdos juveniles y lo saludé alegremente:

—¡Hola don Tomacito! —le dije como aquella vez que él le dio un peso a mi hermana. Nos dimos un gran abrazo y como yo tenía muchas ganas de charlar con él, lo invité a tomar una cerveza en el club. El aceptó y caminamos los tres hasta el club, pero allí nosotros dos entramos y al chofer lo dejamos "parqueado"° afuera. Yo le di dinero para su almuerzo.

Don Tomás y yo charlamos largo rato y bebimos varias cervezas. El me contó de toda la mala fortuna que lo había acompañado en sus últimos años.

—No me siento triste porque ahora soy pobre, créeme —dijo—. Lo triste es pensar que cuando yo era rico tenía tantos amigos y ahora sólo unos pocos apenas se acuerdan de mí. Todos eran amigos de mi dinero, eso era todo.

Yo no dije nada. El, no acostumbrado a beber mucho, empezaba a sentir los efectos de la tercera cerveza.

—Yo soy poeta ahora, Raúl, ¿tú no sabías eso? Sí, ahora escribo versos. ¿Quieres oír el último que escribí hace poco? Voy a recitártelo:

— Cuando yo tenía dinero,
Me decían don Tomás.
Ahora que no lo tengo,
Me dicen Tomás, no más.

Ambos reímos. Terminamos la cerveza y estábamos levantándonos para irnos cuando entró una viejita vendiendo lotería de Navidad.

—No, gracias, ya compré dos billetes enteros —dijo don Tomás con falso orgullo. Yo sabía que era mentira.

—Este es el último billete que me queda, señor, es el billete de la suerte. El último —insistió. Probablemente tenía un montón más escondidos debajo de su ropa.

—Ya le dije que no —dijo don Tomás—. No moleste, senõra, ¿no ve que estamos ocupados?

—Yo lo compro —dije yo—, pero como la señora se lo ofreció a usted primero, yo lo compro solamente con la condición de que usted me acepte medio billete, como regalo mío. Soy muy supersticioso.

—Está bien, Raúl —contestó él con mucha dignidad°—, te acepto tu regalo únicamente porque tienes esa superstición absurda.°

Nos despedimos con un abrazo y cada uno se fue para su casa.

Yo no he vuelto a ver a don Tomás desde ese día, pero he pensado mucho en él. Faltan tres semanas para el gran sorteo de Navidad. Y este año el primer premio son dos millones. ¡Qué fantástico sería...! Puede ser... quién sabe... tal vez... la esperanza es lo último que se pierde en la vida... Sí, francamente, ¡qué fantástico sería si...!

GUILLERMO SEGREDA

PREGUNTAS

I

1. ¿Qué fecha era?
2. ¿Cuándo se celebra el Día de los Inocentes en este país?
3. ¿Por qué estaba muy tensa la situación en todo el país?
4. ¿Entre qué partidos estaban divididas las opiniones políticas?
5. ¿Por qué no se había reunido la familia hacía mucho tiempo?
6. ¿Por qué invitó la abuela a toda la familia a un almuerzo?
7. ¿Qué promesa hicieron todos a la abuela?
8. ¿Cuál era la esperanza que tenían los padres de Juan José respecto a su hijo?
9. ¿En qué posibilidad pensaban todos?
10. ¿Qué negocio ilegal hacía su padre, el tío Juan, para ahorrar dinero?
11. ¿Cómo ayudaba su madre, la tía Gloria?
12. Según Juan José, ¿cuál fue la razón de su regreso?
13. ¿Terminó él sus estudios?
14. ¿Cuál fue la verdadera razón de su regreso?
15. ¿Cómo era Azucena?
16. ¿En qué parte de los Estados Unidos había "estudiado"?

17. ¿Cómo pronunciaban ese lugar algunas de las personas presentes?
18. ¿Cómo lo pronunciaban otros?
19. Según uno de los parientes, ¿por qué es el inglés tan difícil de aprender?
20. ¿Qué otras preguntas le hacían a Juan José?
21. ¿Cuál era la actitud de él?
22. ¿Qué clase de dolores sufría el tío Pancho?
23. ¿Qué opinión tenían algunos de los tíos sobre los médicos en general?

II

1. ¿Quiénes son muy unidos generalmente?
2. ¿Quiénes son considerados como miembros honorarios de la familia?
3. ¿De qué dependía algunas veces invitar a estos parientes a las reuniones de familia?
4. ¿Quién era don Tomás Acevedo?
5. ¿Qué posición ocupaba él en el Congreso Nacional?
6. ¿Era Raúl primo hermano de don Tomás?
7. ¿Qué hacían Raúl y su hermana cada vez que veían a don Tomás?
8. ¿Qué les regalaba don Tomás a Raúl y a su hermana algunas veces?
9. ¿Cuánto le regaló a Carmen una vez cuando ella le dijo "don Tomacito"?
10. Ese domingo, ¿por qué parecía estar contento don Tomás?
11. ¿De qué discutían las mujeres de la familia?

III

1. ¿Por qué pusieron a Raúl en el grupo de los mayores?
2. ¿Por qué pusieron también a Carmen con los grandes?
3. ¿Por qué tenía Raúl una hambre fenomenal?
4. ¿Cuál era su sopa favorita?
5. Para pasar el tiempo, ¿qué se puso a hacer?
6. ¿Cuánto tiempo tenía que esperar todavía, antes de poder servirse la sopa?

7. ¿Cómo llegó a esa conclusión?
8. ¿Qué produjo un ruido como de una bomba?
9. ¿Qué medida drástica tomó Raúl?
10. ¿Qué problema le causó esta acción tan drástica?
11. ¿De qué se dio cuenta su tío?
12. Según su mamá, ¿cómo hablaba Raúl a veces?
13. ¿Cómo hablaba antes?
14. ¿Por qué no podía hablar cuando todos querían escucharlo?
15. ¿Cómo pronunció el nombre de su maestra cuando tenía la boca llena?
16. ¿Qué pasó después?

IV

1. Después de la sopa, ¿qué platos comenzaron a circular?
2. ¿Qué día especial era ese domingo?
3. ¿Qué temas de conversación se discutían en la mesa?
4. ¿Por qué casi le dio un ataque a la tía Luisa?
5. ¿Qué le cantaron todos a una sola voz?
6. ¿Se calmó ella o siguió gritando?
7. ¿Por qué no la tomaron muy en serio cuando iba a desmayarse?
8. Cuando Rogelio volvió de comprar cigarrillos, ¿qué le informó alguien?
9. ¿Qué hizo él entonces?
10. ¿Qué le contestó la otra voz?
11. ¿De qué se dio cuenta Rogelio al final?

V

1. ¿A quiénes llamaba nuevos ricos la tía Esperanza?
2. ¿De dónde era don Aristóteles?
3. ¿Cómo empezó a trabajar?
4. ¿Qué forma de transportación usaba él para viajar por el país?
5. ¿Con quién se casó?
6. ¿Dónde estaban sus hijas?
7. ¿Qué le hicieron a su esposa en Estados Unidos?

8. ¿Cuántos años dice ella que tiene?
9. ¿Cuántos tiene en realidad?
10. ¿Cuántos se quita?
11. ¿Quién es Domitila?
12. ¿Qué la sirvió doña Tentación a la tía Esperanza?
13. ¿Qué foto estaba en la sala?
14. ¿Qué cosa no le gustaba a la tía Esperanza?

VI

1. ¿Adónde tuvo que ir Raúl?
2. ¿Qué se puso a hacer mientras esperaba?
3. Cuando Raúl volvió a la sala, ¿qué estaban sirviendo?
4. Si estaba prohibido hablar de política, ¿por qué estaban todos en una gran discusión cuando Raúl regresó a la mesa?
5. Según don Tomás, ¿qué representaba el Partido Republicano Conservador?
6. ¿Qué estudiaba Marco Antonio?
7. ¿Dónde estudiaba?
8. Según don Tomás, ¿por qué estaban contentos con su situación los campesinos e indios?
9. ¿Qué necesitaba el país, según Marco Antonio?
10. ¿De qué partido político era él?
11. ¿Quiénes no participaron en la discusión?

VII

1. ¿Por qué pidió silencio a todos el papá de Raúl?
2. ¿Cómo se llamaba ese sorteo especial?
3. ¿Cuál era el valor de los tres primeros premios?
4. ¿A quién le pidió suerte alguien?
5. ¿Qué promesa le hizo otro a la Virgen de los Milagros?
6. ¿Qué número recibió el primer premio?
7. ¿Quién es Rogelio?
8. ¿Qué le pasaba?
9. ¿Qué pedía su esposa desesperadamente?
10. ¿Qué recomendó Juan José?
11. ¿Qué hizo Raúl?

12. ¿Cuál fue la reacción de todos contra él?
13. ¿Qué hizo él entonces con la palangana?
14. Por fin ¿qué mostró Rogelio en la mano?
15. ¿Qué hicieron todos después?
16. Y la abuela, mientras tanto, ¿continuaba durmiendo?
17. ¿Qué hizo don Tomás?
18. ¿Qué prometió Rogelio?
19. ¿Qué le prometió a Raúl?
20. Gracias a él, ¿adónde fue Raúl?

VIII

1. ¿Cómo ha cambiado la familia de Raúl después de muchos años?
2. ¿La abuela de él vive todavía?
3. ¿Qué expresión usa Raúl cuando hace referencia de sus parientes que han muerto?
4. ¿Qué pasó con Juan José?
5. ¿Cuántos hijos tiene él?
6. ¿Por qué no se reúnen Juan José y Raúl como se reunían antes?
7. ¿Con quién se reúne Raúl ahora?
8. ¿Cuándo y con quién desapareció de la ciudad Marco Antonio, el primo idealista?
9. ¿Para qué se fue a las montañas?
10. ¿Qué era el Movimiento 18 de Enero?
11. ¿Qué le pasó a Marco Antonio unos meses más tarde?
12. ¿Por qué no pudo ganar la revolución el Movimiento 18 de Enero?
13. ¿En manos de quién quedó el gobierno?
14. ¿En qué consistió la "gran" reforma agraria que hubo después de la revolución?
15. ¿Por qué perdió don Tomás toda su fortuna?
16. Pero todavía tiene su carro con chofer, ¿no?
17. ¿Por qué camina el chofer a la izquierda y adelante de don Tomás?
18. ¿Cómo es el aspecto físico de don Tomás ahora?
19. ¿Qué hicieron Raúl y don Tomás cuando se encontraron la semana pasada?

20. ¿Dónde dejaron al chofer cuando entraron al club?
21. ¿Por qué se siente triste él? —¿porque es pobre?
22. ¿Qué dijo don Tomás en los versos que recitó?
23. ¿Qué pasó cuando estaban levantándose de la mesa?
24. El billete de lotería que tenía la viejita, ¿era el último?
25. ¿Quién compró ese billete?
26. ¿Por qué le regaló Raúl una parte del billete a don Tomás?
27. ¿Cuánto se juega este año?

UNA LEYENDA INDIA

Era una mañana de mucho sol, cerca al mediodía. El autobús se detuvo en frente del hotelito, en cuya fachada se leía, en letras▫ azules, "Hotel Copacabana". En cuanto se abrió la puerta del autobús, un grupo de viajeros bajó rápidamente. Todos parecían contentos de llegar al final del viaje. Dos jóvenes, que parecían amigos, hablaban con mucho entusiasmo. Ya habían olvidado el viaje desde Lima tan incómodo:

—Así que éste es el famoso santuario▫ de Copacabana.[1]

—Sí. Ya verás cómo te gusta. Espera que veas todo el lago Titicaca[2] desde la montaña. ¡Es un espectáculo magnífico!

—Me han hablado mucho de las ruinas indias.

—¡Son impresionantes! No pararás de sacar fotos.

—Y... ¿por qué perdemos el tiempo? Tenemos que ver tantas cosas. Vamos al hotel lo más pronto posible. En cuanto nos cambiemos de ropa, empezaremos nuestra exploración.▫

Ambos jóvenes se dirigieron hacia el hotelito. Era éste un pequeño edificio de piedra, con figures indias en la fachada. A un lado, un pequeño jardín bien cuidado daba una nota de color al edificio.

Al pasar junto al jardín, los dos amigos se detuvieron a admirar las flores:

—¡Qué raro es ver flores en este desierto!▫

—Ya lo creo. Algunas son típicas de la región. ¿Ves aquéllas en el centro?

---

[1] The **Santuario de Copacabana,** located on a peninsula in the southeastern part of Lake Titicaca (see footnote 2), is a popular place of religious pilgrimage, especially at Easter-time.

[2] Lake Titicaca, about 12,500 feet above sea level and 100 miles long, is divided between Bolivia and Peru. It is the highest lake in the world navigable by full-sized ships. An island near the center of the lake is the legendary birth-place of the Incas, who considered the lake sacred.

—Sí. ¡Qué flores más extrañas! ¿Cómo se llaman? Nunca las había visto.

—Kantutas.[3]

—¡Kantutas! ¡Qué nombre más exótico!▫

—Detrás de ese nombre se esconde una leyenda.▫

—¿Una leyenda? Vamos, cuéntamela. Ya sabes que soy curioso.

—Es una leyenda muy antigua, más antigua que las ruinas...

"Fue hace mucho tiempo, cuando el inca mandaba en estas regiones. Había un Inca[4] joven que quería casarse. Con este propósito empezó a buscar esposa entre las mujeres indias de sangre° noble.▫ No lejos del palacio real, vivían dos hermanas, de sangre noble y muy hermosas. A la casa de ellas, llegó un día el joven Inca. Quedó impresionado por la hermosura de las dos hermanas. Desde el principio se enamoró de la hermana menor. Y para demostrarle su preferencia,▫ le empezó a mandar regalos. Las atenciones del Inca para Kantuta, que así se llamaba la hermana menor, despertaron los celos° de la mayor, quien se había enamorado del Inca. La felicidad de Kantuta la ponía furiosa. Cada día aumentaban sus celos. Finalmente, no pudiendo aguantarlos, decidió poner fin a la situación. Con este propósito, fue a pedir consejo al "yatiri". Pues bien, el "yatiri" prometió ayudarla. Y para esto, decidió embrujar° a Kantuta y acabó por convertirla en paloma.° El Inca, que no sabía que Kantuta estaba embrujada, casi se hizo loco buscándola. Mandó a su gente por todo su reino para buscarla. Al fin, se convenció que era imposible encontrarla. Pasado algún tiempo, decidió casarse con

la sangre: *blood*

los celos: *jealousy*

embrujar: *to bewitch*

la paloma: *dove*

[3] The **Kantuta** is the national flower of Bolivia. Each blossom contains the colors of the Bolivian flag: red, yellow, and green.

[4] The word **inca** refers primarily to the nobles who ruled the ancient Peruvian empire and by extension to all the inhabitants of that empire. As used here, the word refers in its first occurrence (**el inca mandaba**) to the rulers as a group and in its second occurrence (**un Inca joven**) to an individual emperor.

la hermana mayor. Y la ceremonia tuvo lugar en el gran templo, con mucho lujo.

"Una mañana, estando el Inca en su jardín, una paloma se le acercó. El la cogió y la empezó a acariciar.° La paloma no se asustó. Por el contrario, continuaba a su lado. Esta escena se repetía a diario. El Inca se acostumbró a esperar en su jardín, cada mañana, la visita de la paloma.

acariciar: *to caress*

"Cuando la esposa del Inca vio lo que pasaba, despertaron sus celos otra vez. Entonces, decidió acabar con la paloma. Ocultó° sus intenciones hasta un día cuando el Inca no estaba en el palacio, ordenó a uno de sus servidores matar a la paloma. Así que, cuando ésta apareció, el servidor le arrojó una piedra y la paloma quedó herida malamente.

ocultar: *to hide*

"Al otro día, cuando el Inca regresaba a su palacio, fue al jardín y la paloma herida llegaba apenas hasta él, para caer muerta a sus pies.

"Fue grande el dolor del Inca al ver esto. Así que, muy furioso, quiso saber quién había matado a la paloma. Al entrar en el palacio, amenazó con castigar severamente a sus servidores si no aparecía el autor▫ del hecho. Por fin, uno de los servidores confesó▫ que la mató por orden de la esposa del Inca. Este quedó muy sorprendido al saberlo. Entonces preguntó a su esposa la causa para tal orden. Ella confesó la verdad. La sorpresa del Inca aumentó al saber que la paloma era Kantuta embrujada. Entonces, loco de desesperación y de dolor, ordenó que echaran del reino a su esposa.

"Desde aquella vez, el Inca bajaba cada mañana a su jardín y tocaba tristemente su *quena.*° Uno de esos días en que tocaba su quena, vio con sorpresa unas flores extrañas. Las flores habían salido en el mismo lugar en que murió la paloma. Y tenían el color de la sangre."

la quena: instrumento musical de los incas

—¡Qué historia más fascinante! ¿Dónde la escuchaste?

—La oí de labios de un indio hace muchos años.

—¿Y a nadie se le ocurrió escribirla?

—¿Para qué? Las grandes historias no se escriben.

RENÁN SUÁREZ

PREGUNTAS

1. ¿De dónde venían los dos amigos?
2. ¿Qué era un espectáculo magnífico?
3. ¿Cómo era el hotelito?
4. Al pasar por el jardín, ¿por qué se detuvieron los dos jóvenes?
5. ¿Entre quiénes empezó a buscar esposa el Inca?
6. ¿Quiénes vivían no muy lejos del palacio real?
7. ¿Qué le pasó al Inca desde el principio?
8. ¿Qué causaron sus atenciones hacia Kantuta?
9. ¿Qué decidió hacer el yatiri?
10. Cuando Kantuta desapareció, ¿qué hizo el Inca?
11. ¿Qué pasó una mañana cuando él estaba en su jardín?
12. ¿Qué ordenó la esposa del Inca a uno de sus servidores?
13. Una tarde, cuando el Inca regresaba a su palacio, ¿qué vio?
14. Cuando supo la verdad sobre Kantuta, ¿qué ordenó a sus servidores?
15. Desde que supo que Kantuta estaba muerta, ¿qué hacía cada mañana?

UNA ESCAPADA°

la escapada: *escape, escapade*

Como todos los días, Ramón salió de su casa con el último trago de café en la boca. Miró su reloj. Tenía veinte minutos para llegar al colegio. Era cierto que éste no quedaba lejos, pero debía pasar por la casa de su amigo Julián. Apuró el paso y tomó por la sombreada° avenida que iba a la casa de Julián. Todavía le quedaba una sensación de cansancio. Cada mañana, le era muy difícil dejar la cama. Sin la intervención□ de mamá iba a seguir durmiendo tranquilamente. A los pocos minutos de caminar, se encontraba frente a un chalet□ blanco. Le bastó un silbido porque su amigo apareció en la puerta en seguida:

sombreado, -a: *shady*

—¡Qué hubo, Ramón! ¿Por qué tardaste tanto? Creí que ya no ibas a venir.

—No pude levantarme temprano. Y entre lavarme y tomar desayuno, se pasó el tiempo.

—¿Estudiaste mucho anoche?

—¡Qué va! En principio, había decidido estudiar. Pero tú sabes cómo son las cosas. Vinieron unos amigos y nos pusimos a escuchar discos. Y antes de darnos cuenta, ya era la una de la mañana.

—Eso significa que no estás listo para el examen de química.°

la química: *chemistry*

—Ni pensarlo. Y con la necesidad que tengo de sacar una buena nota. Y tú, ¿estudiaste?

—Un poco.... las tres primeras lecciones. Pero de las últimas no sé nada.

—Es que hay tanto que estudiar. El profesor es un tirano.□ Yo creo que él nunca fue un estudiante.

—Lo mismo digo yo. ¿Cómo es posible aprender tantas fórmulas?□

Por un momento, los dos amigos caminaron en silencio. La idea del examen los había puesto de mal humor. A poco de andar, llegaron a un parque. Al otro lado se veía la fachada del colegio. De pronto, Ramón se paró y le dijo a su amigo:

—Oye, ¿no crees que es una locura presentarnos al examen sin saber nada?

—Lo es. Pero no hay otro remedio. Ya es muy tarde para estudiar.

—No puedo permitirme el lujo de sacar otra nota mala. ¿Qué te parece si no vamos a clases? Ya inventaremos▫ una excusa▫ después.

—No seas bárbaro.° Si saben en casa que no fui a clases, me echan a la calle.

bárbaro, -a: *rash*

—No te preocupes. No lo sabrán. Será peor que saques una mala nota.

—¿Y qué le diremos al profesor? El no nos cree fácilmente.

—Ya me imaginaré algo bueno. Pierde cuidado.

—¿Y qué haremos si no vamos a clases? No debemos quedarnos por aquí.

—¿Qué te parece si vamos a jugar billar?°

el billar: *billiards*

—No es una mala idea. Pero vamos a "La Guarida". Cuanto más lejos del colegio vayamos, tanto mejor.

—De acuerdo. ¿Sabes lo que pasó en "El Rincón" la semana pasada? El director apareció de repente y los chicos que estaban allí no sabían qué hacer. Ya era tarde para escapar.

—Es peligroso ir allí. Queda muy cerca al colegio.

Ambos muchachos se dirigieron a la parada del ómnibus. Este no tardó en llegar. Cuando subían, el chofer los miró sospechosamente. Ellos pretendieron no notar nada y se fueron a sentar al último asiento. Luego, se pusieron a charlar en voz baja. De pronto, Julián se acordó de algo:

—Oye, Ramón. No traigo mucho dinero. Apenas cuatro pesos.

—Yo tengo cinco. Con eso nos basta.

—Ojalá podamos apostar y ganar dinero allí.

—Sí, siempre hay alguien que quiere apostar.

Cuando bajaban del ómnibus, una vez más el chofer los miró con sospecha. Ellos se apresuraron en bajar y dar la vuelta a la esquina. Caminaron un par de cuadras hasta llegar a "La Guarida". Era un edificio viejo que en algún tiempo había sido azul. La sala de billar estaba detrás del restaurante y era un poco oscura. Cuando Ramón y Julián entraron, vieron que ya algunos muchachos estaban allí. Primero se dirigieron al mostrador a comprar algunos cigarrillos, luego caminaron hacia las mesas. Muy pronto se presentaron dos contrarios y se hizo el juego. Decidieron apostar a quién ganaba tres de cinco partidas. Cada jugador depositó dos pesos en una cajita, al lado de la mesa. El equipo ganador se iba a llevar el dinero.

Empezó el juego tranquilamente. Pero, al pasar el tiempo, el juego se hacía más animado.

—¡Qué diablos! —se oía a alguien jurar.

—¡Qué gran tiro, viejo! —decía otro.

—¡Con calma! No vayas a fallar.°

—¡Qué estúpido soy!

—¡Magnífico! Es tuya.

—Con esa ganamos.

Era una confusión de voces. Las caras estaban encendidas y el humo° de los cigarrillos llenaba la sala. Después de cuatro partidas, estaban empatados.° Entonces decidieron tomarse unos minutos de descanso antes de comenzar la quinta, que era la definitiva.▫ Durante ese tiempo, cada cual se puso a comentar sobre lo mal que estaba jugando. Era lo acostumbrado. Cuando no se estaba ganando, había que encontrar una excusa.

Empezaron la quinta partida. Cada uno se mostraba nervioso. Después de un tiempo, Ramón y Julián tenían una pequeña ventaja. Finalmente, les quedaba por jugar una sola bola. Ramón tomó el taco° para jugarla. Todos estaban callados. Cuando la jugó, los ojos de Julián vieron cómo la bola entraba al lugar deseado.

—¡Bravo, Ramón! —gritó Julián y arrojó el taco a un lado.

—¡La policía! ¡La policía! —Alguien dio la alarma.▫

Fue suficiente▫ escuchar eso y todo cambió en seguida. A un mismo tiempo, todos empezaron a correr hacia

fallar: *to miss, fail*

el humo: *smoke*

empatar: *to tie*

el taco: *billiard cue*

la puerta de detrás del edificio. Se empujaban los unos a los otros tratando de salir lo antes posible.

Una vez afuera, Ramón y Julián corrieron más rápido que nunca hasta dar la vuelta a la esquina. Más o menos a media cuadra se detuvieron, al ver que el peligro había pasado, y empezaron a caminar.

—¡Qué susto! —dijo Julián—. Creí que esta vez no escapábamos.

—¡Qué aguafiestas que son esos policías! Tan bien que estaba el juego.

De pronto, Julián se puso pálido:

—Oye, Ramón. ¡Nos olvidamos el dinero!

—¡Qué mala suerte! ¿Cómo es posible que seamos tan tontos?

—Bueno. Por algo dicen que lo mal habido se lo lleva el diablo.[1]

RENÁN SUÁREZ

PREGUNTAS

1. Al ir al colegio, ¿por dónde debía pasar Ramón?
2. ¿Qué le era difícil hacer cada mañana?
3. ¿Por qué no pudo estudiar la noche anterior?
4. ¿Qué necesidad tenía?
5. Según Ramón, ¿qué era una locura?
6. Si Fernando no iba a clases, ¿qué iban a hacerle en su casa?
7. ¿Adónde sugirió ir Ramón?
8. ¿Qué había pasado en "El Rincón" la semana anterior?
9. En el ómnibus ¿de qué se acordó Julián?
10. ¿Cómo era "La Guarida"?

---

[1] The phrase **lo mal habido** means "ill-gotten gains"; the entire expression **Lo mal habido se lo lleva el diablo** is more or less equivalent to the English expression "Easy come, easy go."

11. ¿Dónde estaba la sala de billar?
12. ¿Adónde se dirigieron primero los dos amigos?
13. ¿Cómo decidieron apostar?
14. ¿Dónde pusieron el dinero?
15. Durante el descanso ¿sobre qué comentaban?
16. ¿Quién ganó la última partida?
17. ¿Quién interrumpió el juego?
18. ¿Qué hicieron todos al escuchar la voz de alarma?
19. ¿Por qué se puso pálido Julián?
20. ¿Qué dicen del dinero que se obtiene de una manera fácil?

UN CAMPEONATO PERDIDO

¡Era un día espléndido!□ No se veía una sola nube.° Cuando entramos a la cancha° de fútbol, un ruido de vivas y aplausos nos saludó. Las notas de una banda empezaron a oírse. Miré a todos lados y distinguí,□ a la derecha, las caras de nuestros compañeros. Sus voces que nos animaban se oían sobre el ruido general:

la nube: *cloud*

la cancha: *playing field*

—¡Vivan los campeones! ¡Viva! ¡Viva!

Me sentía excitado. Había esperado esto desde un mes antes, contando, día tras día, que llegara el momento tan deseado. ¡Debíamos ganar el partido! Esta tarde nos enfrentábamos a nuestros rivales más temidos y era importante ganarles. Miré la cancha con su tapete° verde. Parecía una gigantesca mesa de billar.

el tapete: *carpet, rug*

Por fin se oyó el silbido del réferi□ llamando a los jugadores. Mis compañeros y yo vestíamos camisas rojas. Los otros llevaban camisas azules. Todos ocuparon su lugar en la cancha. En ese momento, se hizo un silencio general. Nos mirábamos los unos a los otros como al medir° energías□ antes de pelear. De pronto, se oyó otro silbido: anunciaba que el juego había comenzado.

medir: *to measure*

En los primeros minutos, veía ir y venir la pelota, y ante mi desesperación ni yo ni mis compañeros podíamos tocarla. Nuestros contrarios dominaban la situación. Todo lo que hacían les salía bien. La pelota parecía pegada° a sus pies. Aunque tratábamos, no podíamos conseguirla. Ella se empeñaba en buscar los pies de los rivales. Mientras tanto, los gritos de nuestros partidarios trataban, insistentemente, de animarnos. Las camisas azules se movían con rapidez increíble.

pegar: *to stick*

De pronto vi que la pelota se detenía cerca de mí, lentamente. La miré con sorpresa, por un segundo. ¡No podía creerlo! ¡Era mía! La acariciaba con los pies, cuando vi acercarse una camisa azul. No iba a dejar que me la roben. Empecé a correr con ella, lentamente primero, luego cada vez más° rápido, mientras evitaba una y otra camisa azul. Los gritos aumentaban y se hacían cada vez más fuertes. ¡Era algo impresionante!

cada vez más: *more and more*

Yo corría con desesperación. Iba dejando atrás a todos. La cancha se hacía corta. Ahora podía ver el arco° contrario y una figura negra que salía a encontrarme. ¡Era el arquero rival! Cuando ya estaba cerca, noté que dos camisas azules estaban a punto de cogerme. ¡Dios mío! ¡No debían detenerme! Hice un último esfuerzo y, cuando ya las camisas azules se venían sobre mí, disparé° la bola. ¡Gooool! El grito unísono° me convenció que lo había conseguido, y antes de darme cuenta de la situación, me sentí ir por el aire y aterrizar en el piso...

el arco: *goalposts*

disparar: *to shoot*

—¡Levántate, perezoso! —La voz de mi madre apenas me llegó. Abrí los ojos y miré delante de mí. La luz del sol se metía por la ventana, y yo me encontraba sentado, al pie de la cama, sin comprender lo que había pasado.

—¡Apúrate! Llegarás tarde a la escuela —Me limpié los ojos, mientras aún vibraban° mis oídos:° ¡Gooool! ¡Qué sensación más agradable!

el oído: *(inner) ear*

Sabía de antemano que ese día no iba a ser uno de mis mejores en clase. Sin entusiasmo, me levanté y, todavía medio dormido, me metí en el baño.

RENÁN SUÁREZ

PREGUNTAS

1. Cuando entraron a la cancha, ¿qué empezaron a oírse?
2. ¿Qué parecía la cancha esa tarde?
3. ¿Cómo se miraban los unos a los otros?
4. ¿Qué pasaba en los primeros minutos del partido?
5. ¿En qué se empeñaba la pelota?
6. De pronto ¿qué vio nuestro héroe?
7. ¿Qué empezó a hacer él entonces?
8. ¿Quién salió a su encuentro?
9. ¿Qué notó cuando estaba cerca al arco?
10. Después que disparó la bola, ¿qué pasó?
11. ¿Dónde se encontraba cuando abrió los ojos?
12. ¿Qué sabía de antemano?

UN ANILLO DE DIAMANTE°

el anillo de diamante: *diamond ring*

Eran más o menos las cuatro de la tarde. Como de costumbre a esta hora, Buenos Aires ofrecía un espectáculo muy animado. Como en toda calle céntrica de una gran ciudad, la gente iba y venía llenando las aceras.° Algunas personas se detenían ante las vitrinas° bien arregladas de las tiendas. Otras entraban en las tiendas o en los cines. En los cafés al aire libre, mientras unos charlaban con animación, otros fumaban° perezosamente delante de una taza de café, mirando pasar a la gente. Era un día típico de verano, caluroso y húmedo.

la acera: *sidewalk*

la vitrina: *shop window*

fumar: *to smoke*

Un hombre, todavía joven, vestido elegantemente y que daba la impresión de ser un millonario o un diplomático, se detuvo ante la vitrina de una famosa joyería.° Por un rato, estuvo mirando atentamente▫ todo lo que se exhibía allí. Luego, como quien toma una decisión▫ rápida, se dirigió hacia la puerta de la tienda y entró en ella. En cuanto estuvo dentro, uno de los empleados se le acercó con solicitud:▫

la joyería: *jewelry shop*

—Buenas tardes, señor. ¿En qué puedo servirlo?

—Buenas tardes. Estoy muy interesado en comprar un anillo de diamante para mi novia.° Quiero algo especial. ¿Puede mostrarme los que tiene?

la novia: *fiancée*

—Con mucho gusto. Pase por aquí. Estoy seguro que tenemos lo que usted busca. Pero antes, ¿me permite su sombrero?

—Cómo no. Gracias.

El empleado tomó el sombrero de manos del cliente y lo dejó colgado en un lugar especial. Luego volvió a reunirse rápidamente con su cliente. Este ya había pasado a una segunda habitación que continuaba a la otra. Se veían allí unas cuantas sillas muy cómodas, y el cliente se sentó en una de ellas.

—¿Puede ser tan amable en decirme su nombre?

—¡Oh, sí! Me llamo Ernesto Pietrelli.

—Por favor, un momento, señor Pietrelli. En seguida le muestro los anillos.

—Está bien. No se apure.

El empleado desapareció detrás de una puerta pequeña y a los pocos minutos volvió a aparecer llevando una caja en la mano. Se acercó al cliente, y abriendo la caja, la puso delante de él, sobre una pequeña mesa que había allí.

—Aquí tiene una excelente▫ selección▫ de anillos de diamante. Vea cuál le gusta.

—Ciertamente es una selección muy interesante. Es muy difícil decidirse por uno de ellos, ya que todos son muy hermosos.

—Es verdad. Quizás le pueda ayudar un poco. Este que ve aquí es uno de los anillos más finos. Fíjese qué grande es el diamante. Y la forma tan perfecta en que está cortado. No podía quedar mejor.

—¡Oh! Es hermoso. Me gusta sobre todo su color. A ver.... ¿Y éste otro? ¡Qué bonito el diamante! Es de un amarillo pálido. Me gusta muchísimo. Creo que es justamente lo que quiero. Es muy bello,° ¿no le parece?

bello, -a: *pretty*

—Claro. Es uno de los anillos de mayor valor. Mire que la piedra es la más grande de todas. Y qué líneas perfectas. Ha sido cortada con mucho arte.▫

—Tiene razón. ¿Y cuál es el precio de este anillo?

—Cuesta un millón de pesos. Es el más caro de todos.

—Es realmente un anillo estupendo. Me gusta muchísimo la piedra pero no mucho el engaste.° ¿No tiene otros engastes diferentes a éste?

el engaste: *setting*

—Ciertamente. Le voy a mostrar algunos. Con permiso, en seguida regreso.

—Cómo no.

En cuanto el empleado desapareció detrás de la pequeña puerta, Pietrelli miró a todos lados y viendo que nadie se fijaba en él, sacó rápidamente de su bolsillo° otro anillo, similar al que él dijo que le gustaba. Sus manos se movían con toda seguridad. Cogió el anillo de la caja y puso en su lugar el que había sacado del bolsillo. Luego, con movimiento rápido, metió el nuevo anillo en un pequeño bolsillo interior de su chaqueta. Después, pretendiendo mucha calma, empezó a mirar la habitación,

el bolsillo: *pocket*

en momentos en que el empleado aparecía trayendo otra caja. Este abrió la caja y la puso al lado de la primera.

—Creo que aquí podrá encontrar un engaste que le guste. Tenemos una gran variedad.

—A ver... Mmm... Este es muy bonito... Y también este otro... Creo que estos dos son los que más me gustan.

—Tiene usted un buen gusto. Yo también creo que esos dos son los mejores.

En ese momento, el cliente miró distraídamente su reloj.

—¡Caramba! Son casi las cuatro y media. Cómo pasa el tiempo. Casi olvido que tengo una reunión importante. Debo apurarme si quiero llegar a tiempo. Será mejor que vuelva mañana y la traiga a mi novia para que ella decida qué anillo le gusta.

—Como usted guste, señor Pietrelli. Nosotros siempre estamos a sus órdenes.

—Realmente tienen una magnífica selección. Será más fácil para mi novia decidir entre tantos anillos hermosos.

El cliente se levantó y se dirigió hacia la primera habitación. Entretanto, el empleado le traía su sombrero.

—Muchas gracias por su amabilidad.□ Estaré de regreso mañana.

—Ha sido un placer. Vuelva cuando guste. Buenas tardes.

—Buenas tardes.

Pietrelli se puso su sombrero y salió. Una vez en la calle, con pasos rápidos se dirigió hacia la esquina y se metió en una estación de metro que se veía allí. De vez en cuando, tocaba con sus dedos el lugar de su chaqueta donde se encontraba el anillo como para asegurarse de que todavía estaba allí. El tren no tardó en aparecer. Pietrelli subió. Como de costumbre a esta hora, el tren estaba lleno. Pietrelli se puso cerca a una de las puertas y sólo parecía mirar frente a él. El tren continuaba su marcha rápida. Iba pasando una y otra estación. Finalmente, en una de esas estaciones, Pietrelli bajó. Con pasos seguros fue hacia la salida. Cuando se encontró fuera, tomó una estrecha calle a la izquierda que corría hacia el puerto.° Estaba en la Boca.[1] Cerca al puerto, las calles estaban llenas de gente de toda clase y de toda nacionalidad. Aquí y allí se veían bares y restaurantes. Era un lugar bullicioso.

el puerto: *port, harbor*

Pietrelli, después de haber caminado unas cuantas cuadras, se detuvo frente a una casa pequeña. Tocó el timbre, y muy pronto un joven abrió la puerta.

—El jefe° me espera. Me llamo Pietrelli.

el jefe: *chief, boss*

El joven, después de mirarlo un instante con curiosidad, lo dejó pasar. Subieron juntos la escalera, al final de la cual había un corredor un tanto oscuro. Se detuvieron ante una puerta y el joven llamó. Se abrió la puerta y apareció un hombre viejo, vestido de negro.

—Pase, Pietrelli.

Pietrelli entró a una oficina muy bien arreglada. Se sentó y luego sacó el anillo de diamante, mostrándoselo al viejo. Este lo examinó con mucho cuidado.

—Realmente es una piedra admirable. Un buen trabajo, Pietrelli.

—Quiero terminar este negocio cuanto antes.° ¿Ya tiene el dinero listo?

cuanto antes: *as soon as possible*

—Sí. Son 600.000 pesos, y es lo más que le puedo dar.

—¿No habíamos dicho 700.000?

—Imposible. No olvide que para venderlo tenemos que cortarlo en pedazos. Y así pierde mucho de su valor original,▫ ya que no se consigue el mismo dinero que por un diamante grande. O acepta esta suma o no hay negocio.

—Bueno, está bien. No me queda otro remedio porque debo salir del país lo más antes posible.

Pietrelli tomó el dinero que le daba el viejo en una pequeña bolsa, y después de contarlo se despidió de él. Una vez en la calle, se detuvo por un minuto para ver

---

[1] **La Boca** is a picturesque section of Buenos Aires inhabited mainly by Italian immigrants from Genoa, most of whom work either as longshoremen or as seamen. Its Bohemian atmosphere attracts many tourists.

hacia dónde iba. Había decidido cambiar inmediatamente el dinero por cheques; era muy peligroso tenerlo así con él. El banco al que quería ir estaba en la parte central de la Boca, no muy lejos de allí. Empezó a caminar por la misma calle por donde había venido hasta llegar a la avenida en que se encontraba el banco. Después de caminar por unos veinte minutos, se encontró delante del banco. Entró y se dirigió hacia el lugar donde vendían los cheques. Se acercó al empleado.

—Por favor, quiero cambiar 600.000 pesos en cheques de viajero.

—Está bien. ¿En cheques de a cuánto los quiere?

—En cheques de a 10.000 pesos.

El empleado empezó a contar con cuidado el dinero que le daba Pietrelli. Lo hacía lentamente y sólo una vez se detuvo por unos segundos para mirar con curiosidad al cliente. Una vez que hubo terminado, le dijo:

—Por favor, ¿quiere llenar este formulario?° Entretanto iré a traer los cheques.

el formulario: *form*

Pietrelli tomó el formulario y se apuró en llenarlo. Puso su nombre y dirección. Después que terminó, se puso a esperar el regreso del empleado. Este tardaba en volver. Pietrelli empezó a ponerse nervioso. ¿Qué pasaba con este empleado que era tan lento? Debía haber ido a otro banco. Cuando ya estaba bastante impaciente vio aparecer al empleado.

—Perdone que lo haya hecho esperar. En seguida lo tengo todo listo.

—Espero que sí, porque estoy de prisa.

El empleado tardó unos minutos más en registrar▫ los números de los cheques. Pietrelli ya estaba furioso y también cada vez más nervioso. Finalmente, el empleado terminó y le dio los cheques. Pietrelli los cogió y quiso salir cuanto antes de ese lugar. Se dirigía hacia la salida, cuando dos hombres se pusieron delante de él y tuvo que detenerse.

—Somos de la policía. Queda usted detenido. No se resista y venga con nosotros.

—Pero.... ¿qué pasa? No comprendo... Yo no he hecho nada.

—Usted acaba de cambiar dinero falso. Sabíamos que estaba circulando dinero falso en la ciudad desde hace días. Así que advertimos a los bancos tener cuidado. Ya nos dirá usted de dónde sacó ese dinero. Vamos andando.

RENÁN SUÁREZ

PREGUNTAS

1. ¿Qué hacía la gente en los cafés al aire libre?
2. ¿Cómo era el hombre que se detuvo ante la vitrina de la joyería?
3. ¿En qué estaba interesado?
4. ¿Dónde desapareció el empleado y qué trajo al volver?
5. ¿De qué color era el diamante que le gustaba al cliente?
6. ¿Cómo era este diamante?
7. ¿Cuánto costaba?
8. ¿Qué cosa no le gustaba a Pietrelli sobre ese anillo?
9. ¿Qué hizo él cuando el empleado salió?
10. ¿Qué trajo el empleado la segunda vez?
11. ¿Con qué pretexto salió Pietrelli de la joyería?
12. Una vez en la calle ¿qué hizo Pietrelli?
13. De vez en cuando ¿qué hacía con sus dedos?
14. Cuando salió del metro, ¿qué calle tomó?
15. ¿Dónde estaba él y qué se veía allí?
16. Cuando Pietrelli dio su nombre, ¿qué hizo el joven que le abrió la puerta?
17. En cuanto entró a la oficina, ¿qué hizo Pietrelli?
18. ¿Cuánto era lo más que le podía dar el viejo?
19. Según el viejo, ¿por qué el diamante iba a perder su valor original?
20. ¿Por qué dijo Pietrelli que no le quedaba más remedio que aceptar la suma que le ofreció el jefe?
21. Cuando recibió el dinero, ¿qué decidió hacer inmediatamente?

22. ¿Qué hizo el empleado cuando Pietrelli le dio el dinero?
25. Cuando terminó, ¿qué le dijo al cliente?
26. ¿Por qué empezó a ponerse nervioso Pietrelli?
27. ¿Qué pasó cuando se dirigía hacia la salida?
28. ¿De qué acusaron a Pietrelli?
29. ¿Cómo sabían eso?

AVENTURAS EN LA SELVA

Yo nunca había estado en la selva. La única selva que conocía era la que había visto en las películas. Por eso, cuando dos de mis amigos decidieron hacer un viaje allí y me invitaron, acepté entusiasmado. Estábamos en el último año del bachillerato y ya nos sentíamos bastante responsables para esta aventura. Nuestras vacaciones de invierno duraban dos semanas, así que íbamos a aprovecharlas en buena forma. Decían, los que viajaban con frecuencia a la selva, que el invierno era la mejor época del año para ir allí.

Con entusiasmo, empezamos a alistar todas las cosas necesarias para nuestro viaje. Antes que nada, lo más importante era conseguir una buena escopeta.° Papá me prestó la suya recomendándome usarla con mucho cuidado. Decidimos comprar comida en lata y algunas medicinas.

la escopeta: *shotgun*

Finalmente, cuando teníamos todo lo necesario, llegó el día del viaje. Ibamos a viajar hasta Todos Santos, en uno de los camiones[1] que llevaban comestibles. Todos Santos era una población al borde de la selva.

Esa mañana, nos levantamos muy temprano y nos dirigimos a tomar el camión. Cada uno iba cargado de una bolsa y de una escopeta. Uno de mis amigos llevaba además una cámara.▫ El camión ya estaba casi lleno con toda clase de bultos. No nos quedaba más remedio que viajar arriba de ellos.

En cuanto el camión se puso en marcha, nos encontramos charlando animadamente.

—Yo quiero cazar° un jaguar —decía Oscar—. ¿Saben que mi tío Rafael cazó uno hace un par de años? Es

cazar: *to hunt*

---

[1] In some Spanish-speaking countries **camión** means "bus," in others "truck," while in still others the word is used for either "bus" or "truck." Here it means "truck."

verdad. La cabeza del animal está colgada en una de las paredes de la sala.

—Bueno, bueno. Probablemente tu tío la compró en una tienda o de algún cazador. Siempre he creído que, sólo al escuchar un tiro, tu tío se muere de susto —comentó Mario.

¡Qué va! Mi tío es un buen cazador. En realidad, es una tradición familiar° —protestó Oscar.

familiar: *of the family*

—Bien. Tú tendrás una buena oportunidad de mostrar esa tradición familiar —siguió insistiendo Mario—. Siempre que el jaguar te lo permita.

Tuve que intervenir, porque de lo contrario, la discusión no acababa nunca:

—Lo único que quiero yo es divertirme, aunque no cace ni una mariposa.°

la mariposa: *butterfly*

Quedamos callados por un momento. Mirábamos la vista que era muy pintoresca. El camión seguía el camino que iba a las montañas. Para llegar a la selva, teníamos que cruzarlas. De vez en cuando pasaban a nuestro lado, en dirección contraria, camiones cargados de frutas. Finalmente, llegamos al pie de las montañas. Aquí el camino se ponía estrecho y subía en zigzag.

—¿Creen que este camión llegará arriba? —preguntó Mario—. Está ya muy viejo y me parece que se va a quedar en mitad del camino.

—No creo. No está tan viejo y todavía tiene que viajar mucho. Lo que me molesta es este camino tan malo —respondí.

El camión subía lentamente. El camino se ponía cada vez más estrecho, y muy pronto sólo había espacio□ para un coche. Al mismo tiempo empezaba a hacer bastante frío. A un lado del camino había un enorme precipicio.□

—¡Qué frío hace! Esto es lo que se llama invierno —comentó Oscar.

—No te preocupes. No durará mucho. En cuanto empecemos a bajar la montaña, el tiempo cambiará. Dicen que se nota el cambio inmediatamente —dijo Mario.

—No veo la hora de llegar —comenté—. Ya me veo cazando en la selva, comiendo toda clase de frutas tropicales,° o viajando en canoa° por el Mamoré.[2] ¿Saben que siguiendo a lo largo de° este río es posible llegar hasta Brasil? Ese es el viaje que voy a hacer algún día. Debe ser fascinante.°

—Pero es muy peligroso —intervino Oscar—. En la región del Amazonas hay todavía algunas tribus° salvajes.° Pueden atacarte. Sé de unos misioneros° europeos que hicieron este viaje. Fueron atacados por una de estas tribus y apenas lograron escapar. Si° hay partes del Amazonas donde el hombre civilizado° aún no ha puesto los pies.

—¿No viven los terribles aucas[3] allí? Si caes en manos de ellos, ya no cuentas el cuento —dijo Mario.

—No seas tonto —le respondí—. Esa tribu vive en las selvas del Ecuador. Además, por más salvajes que° sean, si no los molestas, no te hacen nada. Lo más probable es que ni aparezcan por allí. De todos modos, voy a hacer ese viaje algún día, aunque les parezca peligroso.

Mientras tanto, el camión seguía subiendo lentamente. Después de cierto tiempo, vimos que por fin íbamos a llegar arriba. Pero de pronto, un camión apareció en dirección contraria. En este lugar, el camino sólo permitía pasar un coche. El chofer del otro camión se bajó y acercándose nos dijo que cerca de allí, a la vuelta de una curva, había un lugar que permitía pasar dos coches. El iba a volver atrás y esperarnos allí. Después que salió, esperamos un momento, luego nos pusimos en marcha. Cuando llegamos a la curva, vimos el otro camión parado junto a la pared de la montaña. Nosotros teníamos que pasar por el lado que daba al precipicio. Y apenas había espacio para nuestro camión. Lentamente, nos acercamos

a lo largo de: *along the length of*

si: *why* (as an interjection)

por más... que: *no matter how . . .*

---

[2] The **Mamoré** is a river formed by tributaries from the Andes and the central plains of Bolivia. About 600 miles long, it flows north into the Madeira river, which in turn flows northeast into the Amazon.

[3] The **aucas** are a tribe of Indians who live in the jungles of northern Ecuador. They are well known for the intransigence with which they guard their territory and their way of life from outside influence.

al otro y empezamos a pasarlo. Un falso movimiento y todos nos íbamos abajo. Las ruedas derechas de nuestro camión estaban al borde del precipicio. Con el miedo que sentíamos, estábamos callados. Por el lado izquierdo casi tocábamos el otro camión. Preferimos mirar delante y no hacia el precipicio. Por fin, después de unos minutos que nos parecieron muy largos, logramos pasar.

Ya no fue tan difícil bajar las montañas. El camión iba más rápido que antes. No sólo el tiempo empezó a cambiar sino la vista. Entrábamos en la zona tropical y se sentía calor. A la distancia, veíamos los cerros totalmente cubiertos° de vegetación. Continuamos bajando y muy pronto aparecieron cultivos de café y de bananas.▫ El pueblo de Todos Santos ya no estaba lejos. Después de una media hora más de viaje, llegamos allí. Este pueblo era el último lugar civilizado porque después empezaba la verdadera selva. Era bastante grande y hasta tenía un pequeño aeropuerto. Pero sólo se encargaban del transporte▫ los aviones militares. No había mucha gente que tenía confianza° en estos aviones porque estaban muy viejos.

cubrir: *to cover*

la confianza: *confidence*

Conseguimos alojamiento en una pensión del pueblo. Como teníamos mucha hambre, esa tarde comimos en abundancia. El dueño de la pensión era un viejo muy sociable,▫ y pronto nos hicimos amigos.

Nunca pensamos que esa misma noche íbamos a tener la aventura más emocionante. Le habíamos dicho al dueño que nos gustaba mucho cazar. Entonces, nos avisó que esa noche había una expedición▫ para la caza del caimán.° Si queríamos participar en ella, él se iba a encargar de arreglar las cosas. Aceptamos entusiasmados. Entretanto, decidimos descansar hasta la hora de salir.

el caimán: *alligator*

Esa noche, el dueño vino a avisarnos que todo estaba listo. Pronto iba a venir a recogernos uno de los hombres de la expedición. Nos alistamos rápidamente. Cuando llegó, ya lo estábamos esperando. El hombre nos explicó amablemente algunas cosas sobre la caza del caimán, y nos dijo que iba a ser una gran aventura para nosotros.

Abandonamos la pensión con nuestro guía y nos dirigimos hacia el río. Allí ya estaban los otros hombres.

Eramos doce en total. Ibamos a llevar tres canoas. Nos separamos en grupos de cuatro. Como mis amigos y yo no teníamos experiencia, nos separaron y nos pusieron en diferentes grupos. Una vez que estuvimos listos, nos metimos en las canoas y empezamos nuestra expedición, río abajo. Una canoa iba a cierta distancia de otra. Yo iba en la canoa de adelante. De los cuatro hombres, uno se ocupaba de remar.° Otro llevaba la lámpara.° Y los dos últimos llevábamos las escopetas. Seguimos bajando por el río y metiéndonos cada vez más dentro la selva. Se oían los ruidos de los animales. Estaba oscuro y sólo se veían brillar° en el río miles de ojos de las especies° acuáticas. Mis compañeros tenían mucha experiencia□ e iban tranquilos. Yo sentía miedo y estaba alerto□ a los rumores de la selva. El que tenía la otra escopeta miraba cuidadosamente, tratando de diferenciar□ entre todos los ojos que brillaban, los ojos del caimán. Yo sentía que en cualquier momento, una enorme boa□ iba a caer sobre nosotros, o que una anaconda se iba a subir de repente a nuestra canoa. De pronto, se oyó la voz de nuestro compañero:

remar: *to row*

la lámpara: *flashlight*

brillar: *to shine*

la especie: *species*

—¡Allí está! Cerca a la orilla. Puedes prender la lámpara.

El que tenía la lámpara se apresuró en prenderla. Entonces, tratando de no hacer ruido, nos dirigimos hacia el lugar donde estaba el caimán. Debíamos acercarnos a unos cuatro o cinco metros de él si queríamos cazarlo. Cuando ya estábamos cerca, vimos que el caimán se metía debajo del agua y desaparecía.

—¡Qué diablos!° Se nos quiere escapar. Pero ya vamos a cogerlo —dijo nuestro compañero, que ya tenía la escopeta lista.

¡Qué diablos! *What the devil!*

Después de todo, el caimán era un animal muy listo: había reconocido nuestra luz. Teníamos que buscarlo. Probablemente no estaba muy lejos. Seguimos río abajo, manteniéndonos cerca de la orilla. Pero el animal no aparecía por ningún lado.

—Regresemos. Es posible que lo hayamos pasado —dijo nuestro compañero.

Cambiamos de dirección, y nos dirigimos río arriba,

buscando siempre a lo largo de la orilla. Nuestro compañero estaba molesto por la desaparición del caimán, y blasfemaba en voz baja. Pero, después de un largo rato de buscar, lo vio otra vez:

—Allí está, junto a esas plantas. Esta vez no se nos escapa. ¡Rápido!

Remamos rápidamente pero cuando llegamos allí, ya el caimán había desaparecido debajo del agua.

—¡Caramba! Ya le enseñaré a hacerme bromas. Sigamos por aquí. Sé que no está lejos.

Continuamos remando por donde él nos indicaba, pero el caimán no aparecía. Yo creía que ya no lo íbamos a encontrar, cuando en ese momento, oí la voz de nuestro compañero:

—Ya lo tengo. Ahora no se me escapa. Está allí adelante. ¿Lo ven?

Nos dirigimos hacia ese lugar lo más rápido posible y a la luz de la lámpara, lo vi. Dos ojos que brillaban como fuego. Yo estaba emocionado. Mi compañero ya tenía la escopeta lista y yo hice lo mismo. Ahora ya estábamos a unos pocos metros de distancia. Entonces, él disparó. El tiro fue entre los ojos del caimán, única parte vulnerable▫ de este animal. Inmediatamente, la sangre empezó a salirle. Nos acercamos más. Había que tener cuidado. Quizás el caimán estaba herido solamente. Alisté mi escopeta, mientras nuestro compañero se acercaba al animal y le cogía de detrás de la cabeza. De pronto, se oyó un golpe y la canoa se sacudió. No tuve tiempo de saber qué pasaba. Perdí el equilibrio▫ y caí en el agua, cogido de mi escopeta.

Movía los brazos tratando de no dejar caer la escopeta, cuando ya uno de los hombres me ayudaba a subir a la canoa. Una vez fuera del agua, me enteré de lo que había pasado. El caimán no había muerto todavía, y con su cola golpeó la canoa.

Ahora nuestro compañero lo sujetaba,° con una mano detrás de la cabeza y con la otra en la cola. Con sus brazos en tensión, y usando todas sus energías, evitaba cualquier movimiento del caimán. Era interesante ver

sujetar: *to subdue, hold fast*

este duelo.° Mientras tanto, nos alistábamos para amarrar° al animal. Lo hicimos con cuidado, tratando de mantener firme la canoa. Cuando estuvo amarrado por fin, me sentí tranquilo. Lo subimos a la canoa. Era bastante grande y pesado.

—Creo que ahora ya está muerto —dijo uno de los hombres.

Lo miré y también me pareció que estaba muerto. Noté que teníamos toda la ropa llena de sangre. Pero me sentía satisfecho. Esa noche había vivido una real aventura.

amarrar: *to tie (up)*

RENÁN SUÁREZ

PREGUNTAS

1. ¿Qué decían los que iban con frecuencia a la selva?
2. ¿Qué era lo más importante para el viaje?
3. ¿En qué iban a viajar los muchachos y hasta dónde?
4. ¿Qué hizo el tío Rafael dos años antes?
5. ¿Qué es lo que siempre había creído Mario sobre el tío Rafael?
6. Para llegar a la selva, ¿qué debían hacer?
7. Según uno de los muchachos, ¿qué viaje debe ser fascinante?
8. Según Oscar, ¿por qué es peligroso ese viaje?
9. ¿Qué pasó en esa región antes?
10. ¿Quiénes son los aucas?
11. Cuando casi llegaban arriba de la montaña, ¿qué apareció?
12. ¿Qué hizo el otro chofer?
13. ¿Por dónde tenía que pasar el camión de los muchachos?
14. Cuando bajaban, ¿qué se veía a la distancia?
15. ¿Cómo era Todos Santos?
16. Según el dueño de la pensión, ¿qué había esa noche?
17. ¿Qué les dijo el hombre que los recogió?
18. ¿Cuántos iban en la expedición en total?

19. ¿De qué se ocupaban los cuatro hombres de cada canoa?
20. ¿Qué se veía brillar en el río?
21. ¿Por qué miraba cuidadosamente el agua uno de los hombres?
22. ¿Qué comentario hace el chico narrador de la historia sobre una boa y una anaconda?
23. ¿Dónde se dirigieron tratando de no hacer ruido?
24. ¿Qué hizo el caimán?
25. ¿Por qué blasfemaba uno de los hombres?
26. Cuando vieron al caimán cerca a las plantas, ¿qué hicieron?
27. ¿Dónde recibió el tiro de la escopeta el caimán?
28. Mientras uno alistaba la escopeta, ¿qué hacía el otro hombre?
29. Cuando la canoa se sacudió, ¿qué le pasó a uno de los muchachos?
30. ¿Por qué se sacudió la canoa?
31. ¿Cómo evitaba uno de los hombres los movimientos del animal?
32. Al final ¿qué hicieron con el caimán?
33. ¿Cómo tenían todos la ropa?

LA VERDAD ES UN MISTERIO

Iba yo viendo unas revistas, y me parecía que el tiempo no pasaba. Al lado mío, en el asiento de la ventanilla, iba un hombre rubio, de ojos azules. Por su apariencia▫ supuse que era norteamericano, uno de los pocos gringos° que viajaba en el avión. Era joven, aunque no tanto como para ser todavía estudiante. Tampoco parecía un hombre de negocios importante, porque para eso le faltaba más edad y más peso. Es raro, pensé yo, porque los únicos norteamericanos que vuelan a Guatemala en aviones guatemaltecos son estudiantes que apenas tienen dinero u hombres de negocio que no gastan° más de lo necesario.

el gringo: norteamericano

gastar: *to spend*

El desconocido tal vez sintió que me estaba fijando en él, porque de repente se dio vuelta y me ofreció un cigarrillo.

—Gracias —le dije al aceptarlo. Luego me lo prendió y entonces tosí° sin poder evitarlo. El se sonrió.

toser: *to cough*

—Usted perdone, pero estos cigarrillos son muy fuertes. No son norteamericanos, ¿verdad?

—No —contestó él—, son franceses.

—Ah, bueno —añadí yo—. Eso es otra cosa; los cigarrillos norteamericanos no son muy fuertes.

El desconocido ya no me pareció norteamericano. Hablaba buen español y sus costumbres parecían más europeas que otra cosa. Yo pretendí que seguía leyendo la revista que tenía en las manos. Después de unos minutos, sin embargo, él me preguntó si me gustaba el cigarrillo.

—No está mal —le dije—. Pero sabe, en Guatemala no va a poder conseguir cigarrillos franceses.

—¿Ah, no? Bueno, no importa. ¿Es usted de Guatemala?

—Sí —contesté—, pero ahora estudio en los Estados Unidos.

—Entonces usted sólo va de vacaciones. Vuelve después de Año Nuevo, ¿verdad?

—Sí. Estaré dos semanas con mi familia.

—Yo no sé cuándo voy a regresar —dijo él sin mucho entusiasmo—. Ayer no pensaba que hoy iba a estar volando.

—¿Y por qué decidió usted tomar el avión así tan de repente?

—Bueno, me vi obligado; no me quedó más remedio. Como en la oficina soy el único que habla español, me han encargado este caso. Soy detective,▫ pero no trabajo para el gobierno sino para una organización particular en Miami. Creo que aquí tengo una tarjeta, mire.

El desconocido sacó una tarjeta de su cartera, y al leerla supe que se llamaba Thomas Peterson. Traté de localizar▫ la dirección de su trabajo y me pareció que era cerca de la calle Flagler, en el centro de Miami. Después él me contó que su familia vivía en Texas y que su madre era argentina. También me dijo que hacía siete años que trabajaba en Miami, que su esposa era cubana, y que tenía dos hijas pequeñas. Poco a poco nos íbamos haciendo amigos. Habíamos salido de Miami después de las ocho y nos faltaban como dos horas para llegar a Guatemala. Pensé que el tiempo iba a pasar más rápido ahora que ya tenía alguien con quien conversar. Poco a poco comencé a enterarme por qué mi nuevo amigo viajaba a Guatemala.

—Busco a un hombre —me dijo— que según los informes° que tenemos fue visto en un balcón del Hotel Victoria. ¿Conoce ese hotel?

el informe: *report*

—Es un hotel nuevo, de cinco pisos —dije yo—. Queda en el centro, ¿por qué?

—También está cerca de la estación de policía, ¿verdad?

—Sí —contesté—, a pocas cuadras. Pero dígame, ¿por qué está buscando a ese hombre?

—Pues porque unos amigos suyos quieren cobrar un seguro° de dos millones de dólares. No sé si usted ha oído hablar de un accidente de aviación▫ que hubo en Guatemala hace unos meses; de un avión pequeño en que murieron tres americanos, dos hombres y una mujer.

el seguro: *insurance (policy)*

—Sí, sí, cómo no; lo recuerdo muy bien. Mi madre me mandó recortes° de periódicos sobre la tragedia. Una avioneta de un americano muy rico que cayó al lago Atitlán,[1] ¿no es así? Del agua sacaron los restos del avión y los cuerpos destrozados de la mujer y uno de los hombres, pero el cuerpo del dueño de la avioneta nunca pudo ser encontrado; desapareció.

los recortes: *clippings*

—Pues ahí está el detalle, mi amigo, como dice Cantinflas.[2] Eso es exactamente lo que hay que averiguar:° ¿Desapareció el cuerpo de ese tercer hombre? ¿O desapareció el hombre... vivo?°

averiguar: *to investigate*

vivo, -a: *living, alive*

—No comprendo bien —dije yo.

—Este hombre era aparentemente muy rico, pero estaba lleno de deudas. Por otra parte tenía varios seguros de vida que alcanzaban° a un total de más de dos millones de dólares. Y según las muchas investigaciones▫ realizadas▫ hasta ahora por las compañías de seguros a través de las autoridades de este país, existen fuertes sospechas de lo que hubo no fue un accidente sino un crimen.▫

alcanzar: *to reach*

—¿Usted quiere decir que este hombre a quien usted busca mató a esta pareja de americanos? ¿Y después hizo caer el avión intencionalmente para aparentar° que había sido un accidente? Y ¿cómo se salvó él? ¿Se lanzó en paracaídas? Todavía no comprendo —insistí yo con gran curiosidad pero muy confundido—. No comprendo especialmente por qué este señor iba a matar a esta pareja, que según los periódicos era íntima▫ amiga de él.

aparentar: *to make (it) look like*

—Hay gente en este mundo que por dinero son capaces de matar hasta a su propia abuela. Yo no le puedo jurar que este hombre mató a sus amigos, pero es muy probable que lo haya hecho. Y con respecto▫ a otra

---

[1] Lake Atitlán, in southwestern Guatemala about 5,000 feet above sea level, is set among volcanoes in one of the most magnificent landscapes in the world.

[2] Cantinflas, the Mexican comedian, made this phrase famous; one of his movies is called **Ahí está el detalle,** meaning "That's just the point." **Detalle** literally means "detail."

de sus preguntas, —continuó él con una sonrisa—, no, él no hizo caer el avión, la avioneta, mejor dicho,° intencionalmente al agua, ni se lanzó él en paracaídas. La avioneta... no cayó en el lago Atitlán. Al menos ésa es una posibilidad, una teoría.

mejor dicho: *rather*

—¿Cómo es posible...? Yo recuerdo haber visto fotografías de los restos de ese avión cuando lo estaban sacando del agua.

—Sí, claro, la avioneta destrozada fue sacada del agua, pero no había caído allí. Según el informe de quienes hicieron el examen, los instrumentos▫ de vuelo indicaban posiciones que no son posibles si la avioneta verdaderamente volaba sobre el lago en el momento de caer.

—Entonces, ¿cómo apareció allí?

—No sé —dijo él prendiendo otro cigarrillo—. Eso es lo que tengo que averiguar yo. Hemos pensado en varias posibilidades; una de ellas es que esta pareja fue asesinada,▫ que la avioneta fue destrozada en tierra por una bomba,▫ y que los restos y los cuerpos de las víctimas fueron llevadas en una balsa° hasta el centro del lago, y luego echadas al agua. —Mi amigo hizo otra pausa, echó el humo de su cigarrillo haciendo un círculo perfecto, y luego dijo—: Yo sé que ese hombre está vivo. Tengo que encontrarlo.

la balsa: *raft*

—Tal vez tiene razón —dije yo—. Pero ahora usted está en desventaja, viajando a un país que no conoce. Creo que podré ayudarlo en lo que necesite, pero primero dígame, ¿qué piensa hacer si encuentra al hombre que busca?

—Tengo que seguirlo, tratar de conseguir más información.▫ Al llegar a Guatemala comenzaré a trabajar inmediatamente. Lo primero será ir a hablar con las autoridades de policía.

—Muy bien —dije yo—, pero hoy es sábado y por la tarde nadie trabaja. Estoy seguro que no vamos a aterrizar antes de mediodía. Luego habrá que pasar por la aduana y atender a lo de la vacuna y el pasaporte.

—No importa —respondió él—; vamos a ver lo que pasa.

Thomas Peterson estaba seguro de conseguir lo que quería. Antes de despedirnos hablamos de otras cosas y le di mi dirección y mi número de teléfono, pensando que quizás esa misma tarde yo iba a participar en aventuras que sólo se ven en las películas. Pero Thomas Peterson nunca me llamó y los periódicos tampoco dijeron nada.

FREDERICK RICHARD

PREGUNTAS

1. ¿Cómo era el desconocido?
2. ¿Quiénes eran los únicos norteamericanos que volaban en aviones guatemaltecos?
3. De repente ¿qué hizo el desconocido?
4. ¿Por qué tosió el joven guatemalteco?
5. ¿Por qué el desconocido ya no le pareció norteamericano?
6. ¿Qué pretendió hacer?
7. ¿Por qué se vio obligado Peterson a viajar de repente?
8. ¿Qué ocupación tenía?
9. ¿Qué cosas sobre su familia le contó al guatemalteco?
10. ¿Por qué buscaba a un hombre?
11. ¿Dónde fue visto este hombre?
12. Según los periódicos que recibió de su mamá el narrador del cuento, ¿cómo fue ese accidente de aviación de que hablan?
13. ¿Cuántas personas habían muerto?, según los periódicos.
14. ¿Habían encontrado los cuerpos de las víctimas?
15. ¿Era el dueño de la avioneta un hombre muy rico?
16. ¿A cuánto alcanzaba el total de sus seguros de vida?
17. ¿Cómo supone el narrador del cuento que ese hombre cometió el crimen?

18. ¿Cuál era la teoría del detective?
19. ¿En qué basa su teoría el detective de que la avioneta no cayó al lago?
20. Si la avioneta, según el detective, no cayó al agua, ¿cómo entonces es que la sacaron destrozada de ese mismo lago?
21. Según él, ¿dónde y cómo fue destruida la avioneta?
22. Si el detective encuentra al hombre, ¿qué piensa hacer luego?
23. Antes de despedirse del detective Peterson, ¿qué hizo el chico que nos narra este cuento?
24. ¿Por qué hizo eso?
25. ¿Cómo terminó toda la investigación de Thomas Peterson?

COSAS DE PUEBLO CHICO

Chuima era un pequeño pueblo situado en medio camino° entre la meseta andina y los valles.▫ Para ser más exacto, estaba más cerca a la región de los valles porque ya se veían los árboles aquí y allí, y algunos campos° cultivados. También había un río que pasaba junto al pueblo. Aquí el viento frío de la meseta, que venía acompañando al tren, daba media vuelta y se iba silbando. Las cuatro docenas de casas del pueblo estaban al pie de un cerro como alistándose para llegar a lo alto, allí donde se encontraba la compañía minera▫ de Cerro Rico y la población del mismo nombre. Sólo por estar cerca de esas minas▫ que eran de cierta importancia, Chuima tenía una estación de ferrocarril. Cada tarde, la llegada del tren era el mayor incidente▫ en la vida monótona del pueblo. Todos los vecinos se encontraban allí a esa hora. Además de la estación, el centro de actividad social del pueblo era la quinta[1] de doña Domitila, famosa por sus buenos platos y su rica chicha.[2]

en medio camino: *halfway*
el campo: *field*

Esa tarde, en el patio de la pequeña quinta, un grupo de hombres se encontraba jugando al sapo.[3] Sus risas y bromas llenaban el ambiente.

—¿Apostamos otra jarra▫ de chicha? —preguntó el alcalde,° que acababa de ganar, mirando a don Nicolás, que era el jefe de la estación del ferrocarril.

el alcalde: *mayor*

—De acuerdo. Esta vez voy a ganar yo.

—Eso lo veremos, don Nicolás. A usted le toca.

El jefe de estación se puso detrás de la línea, a unos

---

[1] In Bolivia, **quinta** may refer either to a country house used for vacations and weekends or to a small-town inn.

[2] **Chicha** is an alcoholic beverage made from corn.

[3] **Sapo** literally means "toad." Here the word refers to a game played by throwing coins or coin-shaped pieces of metal at the open mouth of an artificial toad.

metros de la mesa del sapo y empezó a arrojar los tejos° lentamente. Los demás° contaban los puntos en voz alta: ciento cincuenta... trescientos... quinientos... mil...

el tejo: *metal disk*

demás: *others, rest (of them)*

Don Nicolás tenía el último tejo en la mano e hizo una pausa antes de arrojarlo.

—¡Aquí está el sapo! —dijo cambiando de posición.

—¡Veremos! —le contestó el alcalde.

Lo arrojó.

—¡Nada! —gritaron los espectadores.▫

Entonces le tocó jugar al alcalde. Se puso detrás de la línea y empezó a arrojar los tejos ante la expectativa general. El cuarto tejo que arrojó entró por la boca del sapo provocando▫ el entusiasmo de casi todos, excepto don Nicolás, que no ocultaba su mal humor.

—¡Qué suerte de perros la que tengo! Se ve que esta tarde no ganaré nada. La suerte está de parte de usted, señor alcalde —comentó el jefe de estación. Luego, llamando a la dueña—: A ver, doña Domitila, tráiganos una jarra más.

Doña Domitila no esperó oír dos veces lo que pedía el jefe y al momento apareció con la jarra de chicha, y empezó a servir a todos.

—Bueno. Vamos a tomar a la salud de don Nicolás —dijo el alcalde con el vaso° de chicha en alto—. A él le debemos esta amabilidad.

el vaso: *glass*

—No, por favor —pidió el jefe—. Brindemos° por usted que ha jugado como un campeón.

brindar: *to toast*

De pronto, Moisés, otro del grupo, se acordó de algo.

—Brindemos por el hijo de la cocinera Tomasa que llega hoy.

—¿Es verdad que llega el hijo de la Tomasa?[4] —preguntó el alcalde.

—Sí. Mandó un telegrama a la Remedios anunciando que llega hoy —respondió el jefe—. Y viene con su mujer.

---

[4] The use of the definite article with personal names, implying friendly familiarity, is common in some areas where Spanish is spoken.

—Así que se casó.

—Sí. Además ya es un doctor.

—¿Un doctor? ¿El Pedro un doctor? Debe ser una broma.

—No sé... La Remedios dice que es cierto. Como el Pedro ha estado tantos años en Estados Unidos, allí estudió hasta ser doctor y después se casó.

Todos se callaron por un momento. Seguramente pensaban en Pedro, el hijo de la cocinera Tomasa. Habían pasado muchos años desde que el gringo Williams, administrador° de la compañía minera de Cerro Rico, se los llevó a ambos a Estados Unidos. Como Tomasa fue la cocinera del gringo y su familia por varios años, cuando ellos regresaron a su país, decidieron llevarla también a ella y a su hijo. Y ahora volvía Pedro, el Dr. Pedro Vargas. No podían creerlo.

—Apuesto a que se casó con una gringa —comentó Andrés.

—Claro. Allí sólo hay gringas. ¿O crees que también hay cholas[5] como aquí? —le contestó el alcalde.

Los demás se rieron al escuchar el comentario del alcalde.

—No creo que se casó con una gringa —insistió Andrés—. El Pedro es tan feo.

—Yo no sé... Pero dicen que está casado con una gringa y llegan hoy los dos —aseguró el jefe.

—¡Ah! Ya sé. Es que la gringa debe ser más fea que él —dijo Andrés, seguro de haber encontrado la solución al misterio.

En ese momento se oyó a la distancia el silbido del tren. Don Nicolás miró su reloj.

—Ya vienen. Vamos a la estación. Vale la pena ver llegar a Pedro y a su gringa.

Terminaron de tomar la chicha y se dirigieron hacia la estación. En el camino vieron a Remedios llevando

---

[5] In Bolivia, Peru, and Ecuador, a woman of mixed Indian and European parentage is called a **chola**.

su mejor traje y un sombrero de vicuña.° Había que impresionar al doctor.

El tren entraba lentamente a la estación. Ya los vecinos estaban reunidos allí. Se oían los gritos de los vendedores y de los niños que corrían de un lado a otro. Casi todos miraban insistentemente los coches de primera, esperando ver al doctor y a su esposa en cualquier momento. Cuando el tren se detuvo, allí estaba él en una de las plataformas frente a la puerta del primer coche.

—¡Doctor! ¡Doctor! —La Remedios corrió a abrazarlo.

—¡Remedios! ¡Qué alegría verte otra vez, después de tantos años!

—¡Y dónde está la señora?

—Ya baja.° Se está arreglando un poco.

Ya baja. *She's coming.*

Los vecinos no perdían detalle de la escena.

—No ha cambiado nada el hombre. Tan feo como cuando era niño —dijo Julián—. Pero viste muy bien, como un verdadero doctor.

La Remedios y un muchacho estaban ayudando al doctor con sus maletas... una... dos... tres... cuatro...

—¡Caramba! Cuántas cosas traerán —comentó el jefe.

—Deben traer las ollas ahí —dijo con ironía Moisés.

De repente todos se callaron. Acababa de aparecer la señora. Los vecinos no podían creer. Era joven y muy guapa. Andrés estaba rojo de vergüenza.°

la vergüenza: *shame*

La Remedios, que había visto al alcalde y al jefe de estación muy cerca, dijo en voz alta:

—¡Doctor! Venga. Le voy a presentar al señor alcalde y al señor jefe.

El alcalde y el jefe saludaron al doctor. Entretanto los otros del grupo abandonaron la estación y decidieron volver a la quinta de doña Domitila que les había prometido invitarles un ají[6] de pollo.

Más tarde, el alcalde y el jefe se unieron° a los otros

---

[6] Ají is a very hot chili pepper much used in Bolivian cooking. Dishes made with ají are also called by this name.

y así el grupo se encontraba reunido otra vez junto al sabroso plato que doña Domitila había preparado. Comentaban sobre el doctor y su gringa:

—¿Y qué dicen ahora? Ya vieron lo guapa que es la gringa —dijo el alcalde.

—Aún no me explico° cómo se casó con el Pedro que es tan feo —insistía Andrés.

explicarse: *to understand*

—Es que debe ser muy inteligente —le contestó el jefe—. ¿Y saben una cosa? El doctor piensa abrir aquí su clínica.□ Dice que ha traído equipo□ moderno.

—¡Qué bueno! —comentó Julián—. Vamos a tener el mejor doctor de esta región. Un doctor con diploma□ de Estados Unidos. Cuando sepan la noticia° en los otros pueblos se van a morir de envidia.

la noticia: *news (item)*

—Es verdad —intervino Moisés—. Todos vendrán a ver a nuestro doctor.

—Tienen razón —añadió el alcalde—. Será un orgullo para Chuima. Tomemos a la salud de este pueblo y su famoso doctor. ¡Salud!

—¡Salud! —todos tomaron entusiasmados.

Para los habitantes de Chuima no había cosa más importante que el orgullo del pueblo. Vivían en una continua competencia° con los otros pueblos. Hace tiempo había tenido lugar un campeonato de sapo en el que participaron varios pueblos de esa región, y los de Chuima habían ganado. Estaban también muy orgullosos de tener un río a pesar de que cada año, durante la temporada de lluvia, el río se llevaba el puente de madera. No importaba. Era su río, y los otros pueblos no lo tenían. Además, estaban tan acostumbrados de ver eso, que la única vez que el río no se llevó el puente, los vecinos del pueblo se sintieron insultados.

la competencia: *competition*

A los dos meses la clínica del doctor estaba establecida. El doctor y su gringa vivían en la casa de Remedios que era una de las más grandes del pueblo. Allí estaba también la clínica. Hicieron pintar las paredes y arreglar el piso. Cuando la clínica estuvo lista, los vecinos dieron una fiesta para celebrar la ocasión y también para provocar la envidia de los otros pueblos.

El doctor empezó a atender en su clínica. De vez en cuando venían uno y otro enfermo. Sufrían de dolores de cabeza o de resfriados, enfermedades vulgares,° nada serio. Ahí estaba el equipo moderno del doctor, sin usar. Muy pronto, el doctor comenzó a llamar a su clínica a otros vecinos del pueblo que no estaban enfermos, especialmente a esos que trabajaban en las minas. Después de examinarlos, los despedía amablemente sin darles ninguna medicina. La gente estaba extrañada. Creía que el pobre doctor estaba aburrido sin tener enfermos graves y trataba de encontrar alguno. Los vecinos supieron luego que los habitantes de Cerro Rico y Calamarca seguían consultando al curandero° que vivía en Calamarca. Eso era un insulto para el pueblo de Chuima. No confiaban en su doctor.

vulgar: *common, ordinary*

el curandero: *quack doctor, medicine man*

Un día, el alcalde llamó a sus amigos a una reunión en la quinta de doña Domitila.

—Es un asunto muy grave —explicó el alcalde—. Los de Cerro Rico y Calamarca se ríen de nosotros. No creen que nuestro doctor es bueno. Hay que mostrarles en alguna forma que tenemos el mejor doctor de esta región. Hasta ahora nuestro doctor no ha tenido oportunidad de hacer una operación. Es que nadie enferma gravemente.

—¿Y qué vamos a hacer ahora? —aventuró□ Andrés.

—Bueno, vamos a conseguirle un enfermo para una operación.

—¿Y cómo? —preguntó apenas Julián presintiendo° que algo malo venía.

presentir: *to have a presentiment*

—Uno de nosotros será el enfermo. Aquí he traído un libro que habla sobre las enfermedades. Vamos a escoger° una enfermedad que no sea muy conocida aquí, y que no sea muy peligrosa. El enfermo va a pretender que tiene los síntomas□ de esa enfermedad. Es la única manera de hacerles ver que nuestro doctor sabe mucho. Y también de estar seguros nosotros mismos.

escoger: *to choose*

—Pero, ¿y si después quiere operar? —preguntó pálido Moisés.

—Le dejaremos operar. ¿No comprenden que la

operación será un prestigio para el pueblo? Por supuesto escogeremos algo que sea muy fácil de operar y que no signifique ningún peligro para el enfermo. A ver... qué dice aquí... meningitis...□ sinusitis... laringitis...□

—Todo termina en "itis" —comentó Andrés.

—...apendicitis...□ ¡ya está! Creo que encontré la enfermedad que nos conviene. Escuchen lo que dice el libro: "apendicitis... inflamación□ del apéndice...□ síntomas: dolores de estómago, náuseas. Cuando se hace presión□ sobre este órgano□ se siente un dolor agudo°... Debe operarse inmediatamente porque puede derivar en° peritonitis,□ que a veces es fatal□..." Pero escuchen esto: "Aún no se sabe para qué sirve este órgano en los humanos. No les hace falta..." ¿Ya ven? No será peligroso. Ahora sólo nos queda escoger al enfermo.

agudo, -a: *sharp*

derivar en: *to lead to*

—¿Y quién va a ser? —preguntó Julián.

—Tiene que ser alguien joven. Vamos a escoger entre ustedes tres. La suerte dirá. Echemos una moneda.

El alcalde echó la moneda dos veces y resultó escogido Andrés, que estaba pálido.

—¿Y si el doctor me mata? —preguntó con voz débil.

—No seas tonto. Dicen que el doctor ha hecho muchas operaciones con éxito en Estados Unidos. Además, ésta será muy fácil. ¿Cómo puedes morir si el apéndice no te sirve de nada? Ya oíste lo que dice el libro —el alcalde trataba de convencerle.

—Serás el héroe del pueblo —le decía el jefe.

—Bueno, bueno —repetía Andrés no muy convencido.

—Tomemos a la salud de nuestro héroe —propuso el alcalde.

—¡Sí, sí! A la salud del Andrés —dijeron los demás tomando la chicha.

Al día siguiente, siguiendo el plan, Andrés pretendió estar enfermo y se metió en cama. Su esposa estaba alarmada y llamó al doctor. Por supuesto sus amigos, que se enteraron muy rápido de la enfermedad, aparecieron convenientemente° por allí. Cuando el doctor llegó, todos estaban junto al enfermo. El los mandó salir para examinar al enfermo. Los amigos salieron al

convenientemente: *opportunely*

corredor a esperar el resultado. Estaba con ellos Dorotea, esposa de Andrés. Estaban nerviosos y se miraban en silencio. Pasaban los minutos y aumentaba su nerviosidad. Por fin, después de casi media hora, el doctor apareció.

—¿Y..., doctor? —se apuró en preguntar Dorotea.

—Por favor, espere unos minutos, doña Dorotea. No se preocupe. Andrés está bien; no es nada serio. Necesito hablar con estos señores. Pasen ustedes —dijo el doctor mirando a los amigos de Andrés.

El alcalde y los demás se miraban sorprendidos. ¿Qué había pasado? Pero ninguno se atrevía a preguntar nada. En silencio siguieron al doctor a la habitación donde estaba Andrés. Este se encontraba sentado en la cama y apenas miró a sus amigos cuando entraron.

Cerrada la puerta, el doctor invitó a sentarse a los demás y él también se sentó. Luego sacó un cigarrillo y lo prendió con cuidado. De repente, mirando al alcalde, le preguntó directamente:

—Señor alcalde, ¿qué piensan ustedes de mí?

—Pues... no comprendo, doctor... este... le tenemos mucho respeto...

—Bien. Yo les voy a decir lo que piensan de mí. Para ustedes sigo siendo Pedro, el hijo de la cocinera Tomasa. Esto no me molesta. Lo que me molesta es que no confían en mí. Ustedes deben decirse: "No, no es posible que el Pedro sepa mucho. Tuvo la suerte de estudiar en Estados Unidos pero no debió aprender grandes cosas. ¿Cómo es posible que el Pedro, que no es nadie, pueda ser un buen doctor?" Entonces, para averiguar cuánto sé yo de medicina, ustedes decidieron someterme a una prueba.° Escogieron al Andrés para que pretenda estar enfermo de apendicitis...

la prueba: *test*

Cuando el doctor dijo lo último, todos miraron furiosos a Andrés. El doctor adivinó lo que pensaban y se apuró en decir:

—¡No! El no me dijo nada. El pobre Andrés hacía grandes esfuerzos por parecer enfermo. Yo me di cuenta muy pronto que él no estaba enfermo. No olviden que un doctor sabe mucho de psicología. Pues, me duele saber que no confían en mí, así que he decidido decirles algo que no saben: Yo no vine aquí para hacer operaciones y ganar dinero a expensas□ de ustedes. No tengan miedo de que les voy a matar. Yo he venido para hacer investigaciones médicas. Tengo una beca° de una organización□ internacional para estudiar las enfermedades que se presentan entre los mineros.□ Por eso los llamo a veces a mi clínica aunque no estén enfermos. Pero si alguno necesita mi ayuda o se presenta una emergencia, yo estoy dispuesto a ayudar siempre que ustedes quieran. Pero si no confían en mí, no podré hacer nada por ustedes. Así que pueden decidir lo que les conviene.

la beca: *scholarship, fellowship*

Por un momento, nadie dijo ni una palabra. Todos estaban llenos de vergüenza. Por fin el alcalde se animó a hablar:

—Doctor, le rogamos que nos perdone. Nos hemos portado como unos idiotas. Le aseguro que esto no va a pasar otra vez. Desde ahora tiene usted toda nuestra confianza.

—Está bien. No estoy enojado con ustedes pero espero que en el futuro no se porten como niños.

Después de decir esto, el doctor tomó su maletín y dejó la habitación.

La noticia de lo que pasó en casa de Andrés se supo muy pronto en todo el pueblo. Entonces los vecinos empezaron a mostrar más respeto y confianza hacia el doctor. Ahora sabían que tenían un doctor muy listo y que sabía mucho. Pero ¿cómo convencer a la gente de otros pueblos de que su doctor era tan bueno? Ellos seguían consultando al curandero. Y eso era un insulto y continuaba preocupando a los de Chuima.

Cierto día, en mitad de la mañana, el alcalde detuvo su jeep enfrente de la casa del doctor. Tenía un aire de preocupación y de urgencia. Bajó rápidamente de su coche y entró en la clínica del doctor. Este se sorprendió de ver aparecer a su visitante por allí a una hora nada usual.□

—Caramba, señor alcalde. Es una sorpresa verlo aquí a esta hora.

—Doctor, ha ocurrido algo grave. Acaban de llamarme de la mina de Cerro Rico. Ha tenido lugar un accidente dentro la mina. Se han caído las paredes de una de las galerías▫ y varios hombres resultaron atrapados. Están tratando de sacarlos pero se teme que haya numerosos heridos. Así que debemos ir inmediatamente a ayudarlos.

—¡Qué barbaridad! Pobre gente. Déjeme ver si tengo todo lo que necesito en mi maletín de primeros auxilios,° y vamos en seguida.

primeros auxilios: *first aid*

El doctor desapareció por unos minutos y volvió trayendo un maletín negro que contenía su equipo de primeros auxilios. Después, ambos se dirigieron de prisa al jeep y salieron para Cerro Rico.

La mina no estaba muy lejos de Chuima, sólo que se tardaba un poco porque el camino subía hacia la montaña haciendo círculos.

Cuando el doctor y el alcalde llegaron allí, había mucha actividad a la entrada de la mina. Varios hombres sacaban a los heridos en camillas.° Había muchas mujeres y niños, parientes de los heridos, que estaban llorando.

la camilla: *stretcher*

El doctor y el alcalde se dirigieron hacia la pequeña casa que funcionaba como hospital. Allí una enfermera y un joven —luego el doctor supo que era un practicante[7]— ya estaban ofreciendo los primeros auxilios a los heridos. El doctor se puso a ayudarles. Notó que una gran parte de ellos no estaban heridos gravemente. Algunos sólo estaban medio asfixiados▫ y apenas necesitaban oxígeno.▫ Pero había un herido de gravedad,▫ un hombre joven que tenía una de las piernas casi destrozada. El doctor lo examinó con cuidado, luego habló con el practicante:

—Señor practicante, este herido necesita ser operado inmediatamente. En mi clínica tengo equipo moderno que puede facilitar▫ la operación. Si encontramos alguna manera de llevarlo con cuidado, yo me ofrezco a operarlo.

—Le agradezco, doctor. Ya estaba pensando cómo lo

[7] A **practicante** is a student of medicine who has not completed his studies but is nevertheless permitted to practice medicine on a limited scale, especially in areas where there are few doctors.

iba a hacer. Aquí no tenemos muchas facilidades.□ Creo que será posible llevar al herido en la pequeña ambulancia□ que tiene la compañía minera. Por favor, espere un momento, en seguida la alistaremos.

A los pocos minutos la ambulancia estaba lista. Metieron al herido con mucho cuidado. El joven practicante se ofreció a ayudarle al doctor en la operación, pero éste le aseguró que era suficiente la ayuda de su esposa que era una enfermera graduada. Los servicios del joven practicante eran más necesarios ahí porque aún no sabían si quedaban más heridos dentro la mina.

La ambulancia salió hacia Chuima seguida del jeep del alcalde. En el pueblo ya se conocía la noticia del accidente y varias personas, que tenían parientes que trabajaban el la mina, se encontraban reunidas delante de la casa del alcalde esperando obtener más informes. Sabían que él y el doctor habían ido al lugar del accidente y esperaban su regreso impacientemente. Cuando los habitantes de Chuima vieron llegar la ambulancia seguida del jeep, se produjo una gran conmoción. Todos querían saber cuántos heridos había y los detalles del accidente. Entonces, la gente se dirigió hacia la clínica del doctor.

Una vez que la ambulancia paró delante de la clínica, el doctor, ayudado por el chofer y el alcalde, se apuró en meter al herido. En la clínica estaba la gringa, llevando su uniforme blanco. Ella no tardó en preparar todo lo necesario para la operación mientras el doctor se alistaba. El alcalde se quedó en la puerta para hablar con los vecinos que iban a venir en cualquier momento. Estos no tardaron en aparecer, entre ellos estaban los amigos del alcalde.

—Señor alcalde, ¿cómo ha sido el accidente? —preguntó el jefe de estación.

— No fue tan malo como el del año pasado. Sólo hay un herido grave. Tiene una pierna destrozada y ha perdido mucha sangre. El doctor lo va a operar ahora mismo.

—¡Pobre hombre! ¿Es un vecino de este pueblo? —preguntó el Moisés.

—No, es de Cerro Rico. No sé si va a aguantar la

operación porque está muy débil. Ojalá pueda vivir.

El alcalde habló a los demás vecinos para tranquilizarles. Les dio detalles del accidente y les avisó de la operación que estaba haciendo el doctor. Un murmullo de admiración se oyó entre ellos. Todos decidieron quedarse a esperar el resultado de la operación. Más o menos una hora después apareció una mujer joven que venía llorando. Era la esposa del herido. El alcalde y sus amigos la hicieron pasar a la sala de espera de la clínica y ellos también se fueron a sentar allí. La mujer no paraba de llorar en silencio. El alcalde y los otros charlaban y fumaban continuamente tratando de distraer su nerviosidad. Pasaba el tiempo y no se sabía nada de la operación. Muy pronto los amigos habían agotado° todos los temas▫ de conversación. Un pesado silencio se produjo en la sala. Por fin, después de casi tres horas, el doctor apareció.

agotar: *to exhaust*

—Felizmente aguantó la operación que fue bastante larga y difícil. ¿Usted es la señora? —dijo, viendo a la esposa del paciente—. Mañana su marido se sentirá mejor. Tendrá que llevar muletas° por algunos meses, y después su pierna estará más o menos bien, aunque es posible que quede un poco cojo.° De todas maneras, lo importante es que no perdió la pierna.

llevar muletas: *to use crutches*

cojo, -a: *lame*

Todos se alegraron al escuchar las palabras del doctor y lo felicitaron por el éxito de la operación. En seguida, el alcalde y sus amigos se dieron prisa en salir para avisar la buena noticia a los vecinos. Cuando salían, Andrés le dijo al alcalde:

—Esta vez, los de Calamarca y Cerro Rico no tendrán más remedio que admitir que tenemos el mejor doctor de la región. Cuando sepan lo que pasó aquí, vendrán corriendo a consultar a nuestro doctor. Ya los veremos.

RENÁN SUÁREZ

PREGUNTAS

1. ¿Dónde estaba situado Chuima?
2. ¿Por qué tenía estación de ferrocarril?
3. ¿Por qué era famosa la quinta de doña Domitila?
4. Esa tarde ¿qué hacía un grupo de amigos?
5. ¿Qué pasó con el cuarto tejo que arrojó el alcalde?
6. ¿Por quién quería brindar el alcalde?
7. ¿De quién se acordó Moisés?
8. ¿Qué hizo el gringo Williams hace muchos años?
9. ¿Por qué no cree Andrés que Pedro se casó con una gringa?
10. ¿Cómo estaba vestida Remedios?
11. Al ver al doctor ¿cuál fue la reacción del Julián?
12. ¿Cómo era la gringa?
13. ¿Por qué volvieron los amigos a la quinta de doña Domitila?
14. Según el jefe de estación, ¿cuáles eran los planes del doctor?
15. ¿Qué iba a ser un orgullo para Chuima?
16. ¿Qué tuvo lugar en Chuima hace tiempo?
17. ¿Qué hacía el río cada año?
18. Cuando la clínica estuvo lista, ¿qué hicieron los vecinos?
19. Generalmente ¿de qué sufrían los enfermos que iban a la clínica?
20. Muy pronto ¿a quiénes empezó a llamar el doctor?
21. ¿Qué hacía después de examinarlos?
22. ¿Qué pensaba la gente del pueblo sobre esto?
23. ¿Qué era un insulto para Chuima?
24. ¿Qué hizo el alcalde un día?
25. ¿Qué idea sugirió?
26. ¿Por qué razón escogió la apendicitis?
27. ¿Cómo escogió al enfermo?
28. ¿Qué hizo Dorotea al ver a su esposo en cama?
29. Según el doctor, ¿qué era lo que más le molestaba?
30. ¿Por qué sometieron al doctor a esa prueba?
31. ¿Por qué miraron todos furiosos a Andrés?
32. ¿Con qué propósito vino el doctor a Chuima?

33. Al escuchar las palabras del doctor, ¿qué hizo el alcalde?
34. ¿Cómo reaccionaron los vecinos al saber lo que pasó en casa del Andrés?
35. Según el alcalde, ¿qué había pasado en Cerro Rico?
36. Cuando el doctor y el alcalde llegaron allí, ¿qué vieron en la entrada de la mina?
37. ¿Qué tenía el herido de gravedad?
38. Según el doctor, ¿qué era necesario hacer?
39. ¿Por qué no aceptó la ayuda del practicante?
40. ¿Por qué se reunieron varias personas delante de la casa del alcalde?
41. ¿Para qué se quedó el alcalde en la puerta de la clínica?
42. ¿Quién apareció una hora después?
43. ¿Qué hicieron el alcalde y sus amigos?
44. Después de la operación, ¿qué dijo el doctor sobre el herido?
45. Según Andrés, ¿qué harán los vecinos de los otros pueblos esta vez?

UNA MUCHACHA NORTEAMERICANA REGRESA DE COLOMBIA

Mi padre fue mandado por el Departamento□ de Estado a Colombia, por un año. Y, naturalmente, le acompañó toda la familia: mi madre, mi hermano menor, yo —Agnes— y mi perro Fatty. Al principio no me gustaba la idea de dejar mi país, mi escuela, mis amigas. Pero luego me interesó la idea de conocer nuevos países y personas de diferentes costumbres.

El vuelo en jet me asustó un poco, especialmente al despegar,° pero en general el viaje, que es bastante corto, fue muy agradable. Salimos del aeropuerto Kennedy a mediodía y a las dos y media de la tarde estábamos ya en Miami. Como era el mes de julio hacía un calor terrible.

despegar: *to take off*

Al salir de Miami, el piloto□ nos avisó la altitud a que volábamos y la temperatura□ fuera que era de 45 grados bajo cero. Pocos momentos después nos anunciaron que estábamos volando sobre Cuba. La vista era maravillosa desde arriba: una isla verde en el mar azul.

A las cinco de la tarde, cuando aterrizamos en Panamá, oí que un pasajero le decía a otro: —Ojalá no se salgan de la pista y caigan en el Canal□ —porque la pista es pequeña para jet. Aterrizamos perfectamente. Y aunque al salir del avión el calor húmedo del trópico nos hizo pensar que Miami era fría en comparación, el verde de la selva que se veía detrás hacía el lugar pintoresco y me encantó.

Media hora después nos elevamos de nuevo, y tres horas más tarde, a las 8:30 p.m. (7:30 según nuestro reloj), llegamos al bonito aeropuerto El Dorado, en Bogotá, situado entre montañas y a una altitud de 8.640 pies, en la meseta.

La primera voz colombiana que oímos cuando paró el ruido del avión fue la de una señorita que nos decía con voz simpática: —¿Les provoca un tinto? —lo que en lenguaje□ bogotano quiere decir "¿Desean tomar café negro?" El café mejor de Colombia es el que sirven en el aeropuerto, atención de la Asociación□ Colombiana del Café.

Luego vinieron los problemas. El veterinario□ de la aduana se había ido a su casa sin esperar este vuelo internacional. Y no podíamos recoger al pobre Fatty, que había viajado en una jaula° de madera. No había un lugar especial para los animales en el aeropuerto y Fatty iba a estar sin comer ni tomar nada hasta el día siguiente.

la jaula: *cage*

Nos llevaron en automóvil a la ciudad. Esa noche yo no podía dormir, no sé si por la altitud a la que no estaba acostumbrada o por pensar en mi pobre Fatty que no estaba acostumbrado a dormir en esa jaula y a tener que aguantar hambres.

Al día siguiente fue un empleado de la sección de servicios generales de la Embajada□ Americana a ver si podía sacar el perro. En el aeropuerto le dijeron que era imposible porque alguien había perdido el certificado de salud. Y allí empezaron las vueltas° del pobre empleado de la embajada: viajes al Ministerio□ de Agricultura, viajes a la Embajada, al Ministerio de Relaciones Exteriores, otra vez al aeropuerto, otra vez al Ministerio de Agricultura... Por fin a las cinco de la tarde trajeron a Fatty a mi casa. Pobre perrito mío, sin comer nada desde el día anterior; pero parecía bien, sólo que un poco menos "fatty".

las vueltas: *trips back and forth*

Cuando comenzó el colegio hice muchas amistades° que todavía me escriben, un año después de volver. El colegio es muy bonito, construido al pie mismo de los Andes Orientales. Desde allí, ofrece una maravillosa vista de la ciudad y de la meseta bogotana.

amistades: *friends*

Los fines de semana venían a mi casa mis nuevos amigos. Tomábamos Coca-Cola o jugo de "curuba", una fruta tropical muy agradable, y bailábamos toda la tarde. Los muchachos colombianos me enseñaban la "cumbia" y el "merecumbé", bailes nacionales, y yo les enseñaba los bailes que estaban de última moda en los Estados Unidos.

Por primera vez en mi vida me di cuenta de lo que significa realmente la diferencia de clases sociales. Hay un pequeño número de familias muy ricas, con fincas o plantaciones□ de café o de caña□ de azúcar en los valles y con casas hermosas, de encantadores jardines, en la ciudad. Luego hay mucha gente pobre, sin educación, que sólo puede comer papas porque las papas son baratas. Y la gente de clase media que pretende tener una buena situación pero que tiene un salario□ muy bajo.

En sus casas, o en clubes muy elegantes y exclusivos,□ las familias ricas tienen fiestas con orquesta□ y al aire libre, casi todos los sábados, porque tienen casas con jardines interiores y grandes patios como las de California. Al final de la fiesta, la amiga que ha invitado regala orquídeas□ a todas las amigas que han asistido.

También la fiesta de Navidad se celebra al aire libre porque es verano allí en esa época. Hay fuegos artificiales,° y después de la misa de medianoche, se baila.

fuegos artificiales: *fireworks*

En Bogotá, por primera vez, cuando tenía trece años, un muchacho me llamó por teléfono y me dijo que yo era bonita. Como aquí, los muchachos visten "bluejeans" los días de semana. Pero los sábados y domingos llevan traje oscuro, camisa blanca y corbata. Y sus maneras son más corteses□ en general que entre compañeros de colegio en nuestro país. En sus relaciones□ con las niñas son más románticos y tienen más respeto, y saben conversar. Las chicas son más femeninas y no les gusta competir con los muchachos. Lo que aquí llamamos "going steady", allá en Colombia se dice "estar de novios". Aunque falten muchos años todavía para pensar seriamente en casarse, estar de novios quiere decir que la muchacha prefiere a este muchacho entre otros.

Mis padres no me dejaban ir al cine sin compañía. Podía ir con mi hermano o con varios amigos, sobre todo a unas funciones especiales los domingos por la mañana, con películas para menores. Al regresar del cine, nos deteníamos a comer panqueques o íbamos a "El Corral" donde mozos vestidos de "cowboys" servían hamburguesas. Luego a casa, a bailar toda la tarde.

En Bogotá no hay variedad de estaciones como en Estados Unidos o en Argentina. La gente dice "hoy hace verano" cuando hay sol. Y "esta tarde va a hacer invierno" si está anunciada la lluvia. Pero la temperatura en la sombra no varía más de siete grados en todo el año. Esto a veces es monótono. Hasta echábamos de menos un poco la nieve.° Como las casas no tienen calefacción —hace más frío dentro que en la calle, aunque está tan cerca del trópico. Claro, es la altitud. En cambio, a la falta de otras estaciones se debe que haya flores todo el año en los jardines de la ciudad. Y hay barrios modernos, de casas hermosas, construidas al pie de los cerros, que son verdaderos jardines.

la nieve: *snow*

En Colombia, a las criadas las llaman "muchachas". Una de las cosas que no me gustan es que a cualquier parte que una vaya —a comprar algo, a esperar el autobús del colegio, a casa de una amiga— si una niña no va con sus padres, tiene que ir acompañada por la "muchacha", que la sigue como una sombra. A los niños de la casa los llaman "el niño Pedro", "la niña Inés", o "señor" y "señorita". Mi hermano siempre contestaba: "yo no soy señor, soy niño".

Como en todos los países de Sudamérica, el deporte más popular es el fútbol que en Estados Unidos llamamos "soccer". Otro deporte popular es el básquetbol.▫ En el colegio jugábamos mucho, y nuestros equipos participaban en el campeonato° entre todos los colegios de Bogotá. Otro que causa▫ entusiasmo es la corrida de toros. A las diversas plazas de Colombia vienen toreros famosos de España, México y Venezuela, además de los toreros colombianos. Nosotros vimos torear, entre otros, al famoso torero español "El Cordobés". La primera vez que asistimos a la Plaza de Santa María, en Bogotá, una bonita plaza de estilo moro al pie de las montañas, el espectáculo me pareció interesante en un principio. Había mucho ruido, todos gritaban a la

el campeonato: *tournament*

vez y se veían las boinas° rojas en los grupos de aficionados. Pero el primer torero que vi torear tuvo tan mala suerte que, por acercarse mucho a las tribunas, quedó atrapado cuando el toro atacó, que le cogió de la pierna, arrojándolo por el aire. Otro torero vino en su lugar. Este quería terminar con el toro rápidamente. Pero se notaba que estaba nervioso, acaso por lo que le pasó a su compañero, y no pudo hacerlo fácilmente. Así que tuvieron que venir otros hombres a ayudarlo. Estos traían unos puñales° con los que acabaron de matar el toro de una manera horrible. Decidí no ir más a los toros y contentarme con el básquetbol.

la boina: *beret*

el puñal: *dagger*

También visitamos otras ciudades colombianas mientras vivimos en Bogotá. Manizales es una ciudad simpática, situada en plena montaña. Tiene la hermosa vista del Nevado de Ruiz, el pico más alto de la cordillera colombiana, siempre con nieve. Abajo está el verde valle tropical donde se cultivan bananas y café. Manizales es también famosa porque produce un excelente ron.°

el ron: *rum*

Medellín tiene un clima▫ ideal:▫ una eterna▫ primavera. La gente es amable y sonriente. Es una de las ciudades en que más se trabaja y las primeras industrias▫ textiles▫ del país fueron establecidas allí. Visitamos algunas de las fábricas donde a los obreros les daban un almuerzo completo incluyendo leche, café y postre por diez centavos de dólar. Tienen los obreros casas modernas y canchas de deportes.

Pero lo que más me gustó fue la visita a la costa del Caribe: Barranquilla junto al río Magdalena; Santa Marta, la ciudad más antigua de Colombia; y Cartagena, la ciudad fortaleza.

En Colombia se viaja casi solamente en avión. Hay pocos ferrocarriles y pocas carreteras modernas que están terminadas, aunque hay muchas en proyecto. Como el país es tan montañoso, Colombia inició la aviación comercial en Sudamérica con Avianca. Hoy hay otras compañías de aviación pero Avianca sigue siendo la más importante. Algunos vuelos me asustaban bastante porque eran vuelos cortos en aviones de dos o cuatro motores,▫ y a veces en taxis aéreos▫ de un motor y dos asientos, que es como ir por el aire en una bicicleta.

Al despedirnos de Colombia, vinieron mis amigas y amigos al aeropuerto y me dio mucha lástima dejar Bogotá. Ahora que vivo otra vez en Estados Unidos todavía me acuerdo del tiempo que pasé en Colombia. Aprendí a conocer gente diferente. Ahora puedo leer y escribir bien el español, además de hablarlo. Me quedan todavía en mi manera de hablar ciertas expresiones típicas de Colombia que no usan mis padres. Algunas veces cuando escucho los discos de música colombiana, me pongo triste al acordarme de los amigos de hace un año, que poco a poco van quedando solamente en mi recuerdo. Una cosa divertida: tuve una buena maestra de inglés en el colegio norteamericano de Bogotá, una señora joven de Minnesota. Cuando la profesora de inglés de mi colegio, aquí en Estados Unidos, me preguntó dónde había aprendido la gramática,▫ le dije, omitiendo el dato° de ser norteamericano el colegio, "la aprendí en mi colegio de Sudamérica."

el dato: *fact, datum*

CARLOS HAMILTON

PREGUNTAS

1. ¿Cómo fue que Agnes, la narradora de este cuento, tuvo la oportunidad de hacer un viaje a Colombia?
2. Al principio, ¿qué cosa no le gustaba a Agnes?
3. Al salir de Miami, ¿qué les avisó el piloto?
4. ¿Cómo era la vista de Cuba?
5. Al aterrizar en Panamá, ¿por qué temían los pasajeros caer en el Canal?
6. ¿Qué fue lo primero que escucharon en el aeropuerto de Bogotá?
7. ¿Quién era Fatty, una hermana de Agnes?
8. ¿Por qué no pudieron recoger a Fatty inmediatamente?

9. ¿En qué viajó Fatty?
10. Al día siguiente ¿quién fue a recogerla?
11. ¿Qué le dijeron en el aeropuerto?
12. ¿Dónde está situado el colegio?
13. ¿Qué hacían los fines de semana Agnes y sus amigos?
14. ¿Qué les enseñaba ella?
15. ¿Cómo son las diferencias de clases sociales en Colombia?
16. ¿Cómo son las casas de las familias ricas?
17. ¿Cómo se celebra la Navidad?
18. ¿Qué diferencias notó Agnes entre los chicos colombianos y norteamericanos?
19. Y con respecto a las chicas, ¿qué diferencias pudo observar?
20. ¿Cuántas estaciones —no de tren— hay en Bogotá?
21. ¿Qué es "verano" y "invierno" allá?
22. Los domingos por la mañana ¿qué solían hacer Agnes y sus amigos?
23. ¿Qué ventaja tiene la falta de estaciones?
24. En Colombia ¿cuál es una de las cosas que no le gustan a Agnes?
25. ¿Quiénes actúan en las diversas plazas de Colombia?
26. ¿Cómo es la Plaza de Santa María?
27. ¿Qué le pasó al primer torero que Agnes vio torear?
28. ¿Qué pasó al final de esa corrida?
29. ¿Cómo es Manizales?
30. ¿Cómo es Medellín?
31. ¿Por qué algunos vuelos le asustaban a Agnes?
32. ¿Qué le queda en su manera de hablar?

UN BASQUETBOLISTA DE BROOKLYN EN ARAGÓN

Tony estaba echado sobre su cama con las manos detrás de la cabeza pensando en lo que le había dicho el capitán▫ Wheeler. No había duda;° le esperaban muchos días más sin poder hacer nada. Aunque el capitán creía que los nuevos motores iban a llegar dentro de unos pocos días, Tony sabía que en las fuerzas armadas▫ "unos pocos días" podían significar también unas pocas semanas. Pensó en lo que había sucedido° desde su llegada a la base aérea de Villaverde hacía ya tres semanas.

la duda: *doubt*

suceder: *to happen*

Primeramente el cambio ocurrido en las pocas horas de su vuelo de Nueva York a España había sido abrupto. Lo único similar a los Estados Unidos era la base militar, que en todas partes del mundo son iguales.▫ El resto —el paisaje° de esta región de España, la gente, la lengua— era completamente diferente, aunque felizmente para él el italiano que había aprendido en casa de sus padres en Brooklyn le ayudaba ahora a comprender bastante bien el español.

el paisaje: *landscape, countryside*

Las tres semanas desde su llegada habían sido muy aburridas. Su única tarea° era ayudar a limpiar la base, tarea que él, como cualquier otro, encontraba completamente desagradable.

la tarea: *task, chore*

La monotonía de esta vida había sido interrumpida sólo por algunas excursiones a Zaragoza[1] con su amigo Jerry. Esta ciudad quedaba a poca distancia de Villaverde y en ella los dos amigos habían visitado la conocida iglesia de Nuestra Señora del Pilar[2] y habían admirado la arquitectura islámica▫ del Palacio de La Aljafería.[3]

---

[1] **Zaragoza** is the capital of Zaragoza province and the major city in the Aragón region of northeast Spain.

[2] The famous church **Nuestra Señora del Pilar** contains frescoes by Velázquez and Goya.

[3] The castle of **Aljafería** was the residence of the Islamic emirs who ruled Aragón before 1118 A.D. and after that date was the residence of the Christian kings of Aragón.

Lo que en realidad esperaban ver en Zaragoza eran las corridas de toros durante las famosas festividades de la virgen del Pilar, en otoño, una descripción▫ de las cuales los dos amigos habían leído en un artículo▫ de Hemingway.

Sus pensamientos fueron interrumpidos por Jerry que entró ruidosamente.

—Oye, viejo, levántate y ven conmigo. Ayer por pura casualidad° encontré un campo de deportes al otro lado de este miserable▫ pueblo. A un extremo del campo hay una cancha para jugar básquetbol. Voy a conseguirnos una pelota y un jeep y nos vamos, ¿qué te parece?

la casualidad: *coincidence*

—Estupendo. Pero, ¿cómo vas a conseguir un jeep? Ese capitán nunca te dará permiso.

—¡Todavía no me conoces! Déjamelo a mí. Espérame aquí afuera dentro de veinte minutos.

Y así fue. Por uno de sus ya casi legendarios▫ trucos, Jerry llegó un rato después con un jeep y una pelota, y los dos amigos se dirigieron al campo de deportes.

Cuando llegaron, la cancha estaba desierta. Empezaron a jugar; y Tony, que antes de entrar en el ejército había sido capitán del equipo de la escuela secundaria, sintió con placer que no había perdido su habilidad.° Estaban tan entusiasmados con el juego que al principio no se dieron cuenta de que unos muchachos habían llegado y los estaban mirando. Uno llevaba una pelota. Tony y Jerry decidieron cederles° la cancha y al pasar frente a ellos Tony les dijo:

la habilidad: *skill*

ceder: *to yield*

—Gracias.

Los chicos no contestaron; sólo el que llevaba la pelota sonrió un poco.

De regreso° a la base los dos soldados° comentaron sobre la aparente reticencia▫ de la gente del pueblo. En realidad había muy poca comunicación entre los miembros de la base y los habitantes de Villaverde. Sin duda, una de las razones era que los soldados americanos no hablaban español y otra parecía ser la natural desconfianza° de los campesinos de ese pueblo hacia los extranjeros, sobre todo siendo éstos militares. Tony y Jerry

de regreso: *on the way back*

el soldado: *soldier*

la desconfianza: *distrust*

vieron que si querían sequir jugando básquetbol iban a tener que ganarse la confianza de esos muchachos.

Al otro día llegaron cuando los muchachos ya estaban practicando. Después de observarlos Tony se dio cuenta de que lo que les hacía falta era un buen entrenador.° Cuando terminó el partido Tony y Jerry se dirigieron a los muchachos y Tony les preguntó, medio en español, medio en italiano, si él y su amigo podían jugar con ellos un rato. Los chicos dudaron un instante, un poco sorprendidos; luego aceptaron con gusto. Jugaron casi media hora; la superioridad de Tony y Jerry era evidente. Al terminar, varios de los chicos les dijeron entusiasmados:

el entrenador: *trainer*

—¡Vaya! ¡Qué bien juegan ustedes! ¿Son profesionales?▫

—No —contestó Tony—, sólo aficionados, pero en la escuela yo era capitán de mi equipo, —y aprovechando la ocasión añadió—, si ustedes quieren, nosotros les podemos enseñar algunos pases▫ y trucos que les servirán mucho.

Los muchachos aceptaron encantados.

Desde ese día los dos soldados practicaron todas las tardes con los muchachos y de esta manera Tony se convirtió en el entrenador oficial del equipo. Los rigores▫ de esos períodos▫ de práctica se intensificaron▫ cuando Tony se enteró de que en dos semanas "sus muchachos" iban a jugar con el equipo de San Vicente, un pueblo vecino. Sabía que un fracaso° de parte de los de Villaverde sería, en la opinión de todos los habitantes del pueblo, un fracaso personal del entrenador. También Tony se sentía obligado a ganar por la amistad° que había hecho con Luis Robles, capitán del equipo. En dos ocasiones los Robles habían invitado a Tony a comer con ellos y lo habían tratado muy bien.

el fracaso: *failure*

la amistad: *friendship*

Por fin llegó el día del partido con los de San Vicente. Era un domingo y por mala suerte ese día les tocó a Tony y a Jerry estar de guardia° en la base. El equipo estaba en peligro de ir a jugar sin su entrenador, pero una vez más Jerry hizo uno de sus famosos "arreglos" y otros dos soldados consintieron▫ en sustituirlos.▫

de guardia: *on guard duty*

Después de misa la gente de Villaverde se encontró

en la plaza donde esperaban cuatro camiones. Tony y Jerry subieron al camión que iba a llevar a los miembros del equipo. Durante todo el viaje, con gran sorpresa para los americanos, los jugadores, así como el resto de la gente, no dejaron de comer y de tomar vino. ¡Eso de comer y tomar antes de un partido era increíble!, pero para esos españoles, la diversión del viaje era más importante que la preparación□ apropiada para ganar un partido.

De todas maneras,° todas las tortillas que se consumieron□ y el vino que se tomó no fueron ningún impedimento... Los de Villaverde ganaron esa tarde como la cosa más fácil del mundo.

de todas maneras: *anyway, at any rate*

La diversión no terminó allí, pues según la costumbre, los que perdieron tuvieron que invitar a los otros a tomar la merienda. Inmediatamente después del partido se pusieron mesas en la cancha misma, y se trajo gran variedad de comida, y más vino. La alegría fue general y después de merendar empezaron a tocar música y a bailar. Hasta los dos americanos acabaron tratando de bailar una jota aragonesa[4] en medio del aplauso□ y risas generales.

El viaje de vuelta° a Villaverde fue de noche y todo el mundo iba cantando con el mismo entusiasmo de la mañana.

la vuelta: *return*

Desgraciadamente° para los americanos el día no acabó con la misma alegría. El capitán Wheeler había descubierto su ausencia y los esperaba en su oficina. Les anunció que como castigo por la sustitución□ iban a tener que hacer guardia en Tres Fuentes durante treinta días seguidos.

desgraciadamente: *unfortunately*

Esto era lo peor que les podía ocurrir.

A la mañana siguiente los dos compañeros cargaron sus cosas en el jeep y partieron a su destino.

Tres Fuentes era una montaña a unos ochenta y cinco

---

[4] **La jota aragonesa** is the typical dance of the region of Aragón. It is an extremely lively and strenuous dance and takes not only great skill but endurance on the part of the dancers.

kilómetros de Villaverde. En esa montaña la Fuerza Aérea norteamericana había construido una de sus torres° de comunicaciones.

El nombre de Tres Fuentes venía de tres chorritos° de agua que caían a un lado del camino, arriba de la montaña. Los únicos habitantes del lugar eran un campesino y su esposa que vivían en una casita pobre a poca distancia de los chorritos de agua. No había en todos los alrededores° ni más casas ni más gente. El paisaje era montañoso y desolado;□ el pueblo más cercano era Torrela a unos veinte kilómetros al este.

Los treinta días que pasaron allí les parecieron interminables.□ Si en la base de Villaverde no había mucho que hacer, en Tres Fuentes era mucho peor. Su única tarea era echar gasolina□ al motor cada seis horas. El resto del tiempo lo pasaron leyendo, hablando con el campesino y su esposa, lavando su ropa en los tres chorritos y sobre todo pensando en la vida cómoda que habían llevado en Villaverde. De vez en cuando se escapaban a Torrela a comer en su pequeñito restorán, y al volver siempre les traían a los campesinos algún dulce de regalo.

Al cumplir los treinta días fueron sustituidos y volvieron a Villaverde, que en comparación con Tres Fuentes les parecía esta vez una metrópoli.

Cuando volvieron a la base se enteraron de que desde su ausencia las relaciones entre la gente del pueblo y de la base iban de mal en peor. Parece que un grupo de soldados había ido al campo de deportes a jugar fútbol americano durante dos o tres días pero que de pronto el Consejo Municipal les había prohibido□ el uso de la cancha sin dar mayores explicaciones. El comandante□ de la base, que estaba muy interesado en tener un equipo de fútbol y un campo de práctica para sus soldados, habló con el capitán acerca del problema. Este decidió contarle de la ayuda que Tony había prestado a los del pueblo como entrenador de su equipo de básquetbol y el comandante hizo venir a Tony a su oficina para conversar con él. Al enterarse de su amistad con el hijo del

la torre: *tower*

el chorro: *trickle*

los alrededores: *surroundings*

alcalde, le pidió averiguar por qué les habían prohibido el uso del campo.

En la primera oportunidad que tuvo, Tony habló con Luis y éste le contó que las veces que los americanos habían jugado allí habían dejado el campo lleno de botellas, papeles y cigarrillos. Cuando Tony volvió y se lo dijo al comandante, éste se puso furioso por la mala conducta□ de sus soldados. Sin embargo, como le interesaba tanto la práctica de los deportes entre sus hombres, mandó a Tony con un recado para el alcalde.

Esa misma tarde Tony se presentó en casa de los Robles y rogó hablar con el papá de Luis. La señora lo hizo pasar a la sala.

—Señor Robles —le dijo—, vengo en nombre del comandante a pedir disculpas por haber dejado sucio el campo de deportes y a rogarle que nos permita volver a usarlo. El comandante promete que en el futuro los soldados lo dejarán tan limpio como un espejo. Si después del partido ustedes no están satisfechos no se lo pediremos más.

—Pues francamente, Tony, quisiera ayudarle por la amistad que usted tiene con mi hijo, Luis, y también por todo lo que usted ha hecho por nuestro equipo, pero el asunto no está en mis manos. La gente de este pueblo se quedó muy ofendida por la manera de portarse de los americanos. ¡Vamos, hombre, qué falta de consideración! Además, de todas maneras, yo tendré que hablar con el Consejo Municipal. Ellos son los que deciden estas cosas.

Tony pensó rápidamente y se le ocurrió una idea.

—Señor alcalde, yo creo que si usted insiste un poco el comandante también hará pintar las bancas de madera del campo. Le ruego que se lo diga a los otros miembros del Consejo a ver qué contestan.

Efectivamente el asunto se arregló de esa manera. Se pintaron las bancas y el sábado por la tarde todos los soldados de la base asistieron al primer partido oficial de fútbol americano.

Para la población de Villaverde, que acudió al partido

llena de curiosidad, la vista de los americanos que se tiraban unos sobre otros tratando de coger al que corría con la pelota fue un espectáculo sin igual. Y al fin del partido no fue menos extraordinaria la vista de unos setenta soldados que, bajo la dirección de un enérgico sargento,▫ limpiaban el campo de deportes con un cuidado digno° de una buena ama de casa.

digno: *worthy*

OSWALDO ARANA
ALICE A. ARANA

PREGUNTAS

1. ¿Qué le había dicho el capitán a Tony?
2. En Aragón ¿qué era lo único similar a Estados Unidos?
3. ¿Qué le ayudaba a Tony a comprender el español?
4. Desde su llegada, ¿cuál era su única tarea?
5. ¿Qué lugares famosos visitaron los dos amigos en Zaragoza?
6. ¿Qué había encontrado Jerry?
7. Por uno de sus trucos ¿qué consiguió?
8. ¿Qué era Tony antes de entrar al ejército?
9. Al principio del juego, ¿de qué no se dieron cuenta los dos amigos?
10. ¿Por qué razones había poca comunicación entre la gente de la base y la del pueblo?
11. Al ver jugar a los muchachos, ¿de qué se dio cuenta Tony?
12. ¿Qué les ofreció al terminar el juego?
13. ¿Por qué se intensificaron los períodos de práctica?
14. ¿Qué habían hecho los Robles en dos ocasiones?
15. ¿Por qué estuvo el equipo en peligro de ir a jugar sin su entrenador?
16. ¿Cómo resolvió Jerry este problema?
17. Ante la sorpresa de los dos amigos, ¿qué hacían todos durante el viaje?
18. Según la costumbre, ¿qué hacían los que perdían el juego?

19. ¿Qué pasó inmediatamente después del partido?
20. ¿Qué castigo les dio el capitán Wheeler a los dos amigos?
21. ¿De dónde venía el nombre de Tres Fuentes?
22. ¿Cuál era la única tarea de los dos soldados en Tres Fuentes?
23. ¿Qué hacían el resto del tiempo?
24. ¿De qué se enteraron al volver a la base?
25. ¿En qué estaba muy interesado el comandante?
26. ¿Qué le pidió a Tony?
27. Según Luis, ¿qué habían hecho los americanos?
28. Según el alcalde, ¿quién decidía todas las cosas?
29. ¿Qué idea se le ocurrió a Tony?
30. Para los habitantes de Villaverde, ¿qué es lo que fue un espectáculo sin igual?
31. Después del partido ¿qué hicieron los soldados?

UNA ACTRIZ FAMOSA LLEGA A SANTIAGO DE CHILE

El lugar era Ezeiza un sábado por la tarde. Como en todo aeropuerto internacional, la enorme sala de espera de Ezeiza se encontraba llena de gente. Por todos lados se veían viajeros que charlaban animadamente con personas de su familia o amigos que habían ido a despedirlos. Otros leían descuidadamente un periódico o se paseaban nerviosamente mirando con curiosidad a la gente que había allí. Las risas de las personas y los comentarios en voz alta creaban una atmósfera bulliciosa. De vez en cuando se oía una voz por el altoparlante anunciando el vuelo de uno y otro avión. En ese momento, la voz de un empleado de Aerolíneas Argentinas anunciaba el vuelo 57 entre Buenos Aires y Santiago de Chile. El avión debía salir a las 2:30 y el empleado de la compañía invitaba a los pasajeros a subir a bordo.°

a bordo: *on board*

De repente, se oyó una conmoción cerca a la entrada. Todos miraron hacia allí. Una mujer muy bonita y elegante apareció. Llevaba en sus brazos un pequeño perro y caminaba afectadamente.▫ La seguía un grupo de personas. Su nombre se conoció inmediatamente en toda la sala. Era Delia Conti, la actriz más famosa de la televisión argentina. Una y otra vez se detenía a firmar un autógrafo.▫ Lo hacía con movimientos teatrales. Los fotógrafos▫ y periodistas° apenas la dejaban caminar. Todos le hacían preguntas a un mismo tiempo.

el periodista: *newspaperman*

—Señorita Conti, ¿cuánto le pagan por actuar en Santiago?

—¿Es verdad que se casará pronto con Flavio Enzo y que él ya la espera en Santiago?

—¿Es cierto que tiene una colección de trescientos vestidos?

Las preguntas venían de todos lados. El agente de la actriz trataba de contestarlas y de ser amable con todos. Ella no hacía sino sonreír. Se oyó en ese momento el último anuncio del vuelo Buenos Aires–Santiago. Entonces, la actriz y su agente se alejaron rápidamente de periodistas y fotógrafos y se dirigieron hacia la salida por la que se iba hacia el avión. Al subir la escalera, Delia Conti se detuvo por unos segundos para mostrar una última sonrisa a su público. A las 2:30 el avión empezó a moverse, mientras a bordo, el piloto saludaba a los pasajeros, les avisaba el itinerario y el tiempo de vuelo, que iba a ser de tres horas y media, y les deseaba un feliz viaje. En unos minutos, el avión ya se encontraba en el aire. Se alejaba rápidamente dejando detrás la metrópoli. Dentro el avión, la gente empezaba a charlar. Este era un grupo de viajeros bastante cosmopolita.□ Aquí, un señor hablaba con su esposa en alemán. Más allí, un joven norteamericano conversaba en inglés con una de las camareras.° En la parte de delante del avión, unos jóvenes brasileños reían y charlaban en portugués. En otro asiento, un señor chileno contaba a su vecino sus impresiones sobre su viaje a Europa. Delia Conti y su agente estaban sentados en los asientos de adelante. Ella parecía indiferente□ al resto de la gente. Mantenía toda su atención en el pequeño perro al que peinaba cuidadosamente, pasando su mano, de vez en cuando, sobre el abundante□ pelo del animal y diciéndole palabras cariñosas al mismo tiempo. Uno de esos momentos, el perrito empezó a ladrar. La actriz llamó inmediatamente a una de las camareras.

la camarera: *stewardess*

—Señorita, ¿me hace el favor de decirles a los señores que se sientan detrás que no deben fumar? El humo del cigarrillo molesta a mi pequeño Bombón.

—Pero señorita Conti. Los pasajeros tienen derecho a fumar. No puedo hacer lo que usted me pide. Ahora si quiere que le dé otro asiento, lo haré con mucho gusto.

—Esto es una barbaridad. No se puede viajar en estas condiciones. Aquí hay una falta de consideración para los pasajeros. De saber esto, yo hubiera viajado en un avión de otra compañía.

El agente de la actriz la interrumpió:

—Querida Delia, ten paciencia. El viaje es bastante corto. Tratemos de evitar las discusiones.

—¿Y me pides que viaje en forma tan incómoda? Si a ti no te molesta viajar así, puedes quedarte. Yo me voy a otro asiento.

La actriz abandonó su asiento llevando a Bombón en los brazos y, después de echar una mirada furiosa a los señores que se sentaban detrás, se dirigió hacia uno de los asientos que estaba desocupado. Se sentó y siguió peinando a Bombón mientras continuaba diciéndole palabras cariñosas. Al rato volvió a llamar a la camarera y le pidió algo de comer para Bombón. Después, con una y otra excusa, la llamó varias veces más. Pedía las cosas como dando órdenes, y con gestos afectados, tratando de llamar la atención de todos. Los otros pasajeros pretendían no notar lo que pasaba y seguían charlando. El viaje continuaba sin ninguna dificultad. Ya el avión volaba sobre la región de Mendoza. A la distancia se veía la cordillera de los Andes. A bordo, los pasajeros se alistaban para gozar del espectáculo de las montañas. Rápidamente el avión se acercaba a la cordillera. Era impresionante ver esa masa montañosa siempre blanca. Algunos pasajeros tenían listas sus cámaras. Ya el avión volaba sobre la cordillera. La nieve parecía una enorme sábana blanca y se confundía con las nubes. A la distancia se podía ver el Aconcagua,[1] tan alto. Según° el avión continuaba volando, la visibilidad▫ iba disminuyendo. El cielo estaba muy nublado, sobre todo hacia territorio▫ chileno. De vez en cuando el avión se sacudía. Los pasajeros estaban emocionados, especialmente los que atravesaban los Andes por primera vez, y hacían grandes comentarios. Sólo Delia Conti parecía indiferente a la vista que se ofrecía, y seguía manteniendo su atención en Bombón. De pronto, se oyó por el altoparlante la voz de una de las camareras. Anunciaba a los pasajeros que el avión iba a llegar tarde a Santiago. Según decía, las condiciones del tiempo estaban muy malas en territorio chileno. Había mucha niebla° que hacía más difícil el vuelo.

según: *as*

la niebla: *fog*

Cuando todos estaban callados por la sorpresa del anuncio, se oyó la voz de Delia Conti:

---

[1] **Aconcagua,** an extinct volcano of the Andes, is the highest peak in the Western Hemisphere—22,835 feet. It is almost due west of the Argentine city of Mendoza and close to the Chilean border.

—Esto ya es demasiado. No pueden hacerme esto a mí. Mis admiradores□ me esperan en el aeropuerto. También los periodistas y fotógrafos, y mucha gente de televisión. ¡Qué barbaridad! Además, no podré llegar a tiempo para mi programa. No debía haber venido en este avión. Voy a quejarme de esta compañía.

La actriz protestaba y amenazaba en voz alta. Las camareras trataban de explicarle que no podían hacer nada ante el mal tiempo. Finalmente, su agente vino a calmarla.

Mientras tanto, el avión continuaba su vuelo. El cielo estaba muy oscuro. Después de un tiempo que pareció muy largo, el avión empezó a bajar hacia Santiago. La visibilidad era muy mala, y los pasajeros apenas podían ver las luces de la ciudad a la distancia. El avión dio una vuelta a la ciudad antes de prepararse para aterrizar. Luego, comenzó a bajar lentamente. En ese momento, se oyó la voz de la camarera. Anunciaba la llegada del avión al aeropuerto internacional Los Cerrillos, de Santiago, y agradecía a los pasajeros por usar los servicios de la empresa.° Por fin, el avión tocó la pista, se sacudió un poco, y después de correr cierta distancia, se detuvo.

la empresa: *firm, company*

El aeropuerto estaba lleno de gente. Se veían fotógrafos y periodistas. Las cámaras de televisión estaban listas, y había numeroso público.

Delia Conti había dicho a las camareras que ella iba a bajar primero. Ninguna persona debía bajar delante de ella, porque las cámaras de televisión y los fotógrafos estaban listos, esperando su llegada.

Vestida con un abrigo lujoso, y llevando a Bombón en los brazos, Delia Conti bajó lentamente las escaleras del avión. Miró a los fotógrafos y periodistas que se acercaban, y les sonrió. Caminaba con movimientos teatrales. De pronto vio con sorpresa, que todos pasaban junto a ella sin detenerse.

—¿Adónde van? Yo soy Delia Conti —les gritó resentida.□

Pero ellos, sin escucharla, se apuraban en llegar junto a un joven de aspecto modesto que bajaba la escalera del avión en ese momento.

—Allí está. Es bastante joven —dijo alguien que pasó junto a la actriz. Esta se encontraba sorprendida y no sabía lo que pasaba.

—¿Quién es ese hombre? —preguntó a una persona que pasaba a su lado.

—Es el joven violinista° que acaba de ganar el Concurso Internacional de Bruselas —fue la respuesta que Delia Conti recibió—. Toda la gente ha venido a esperarlo. Es un gran músico.

RENÁN SUÁREZ

PREGUNTAS

1. ¿Qué cosas se veían aquí y allí en Ezeiza?
2. ¿Qué anunció el empleado de Aerolíneas Argentinas?
3. De repente ¿quién apareció cerca a la entrada?
4. ¿Quién es Delia Conti?
5. ¿Quiénes no la dejaban caminar?
6. ¿Qué hizo Delia al subir la escalera?
7. A bordo ¿qué les dijo el piloto a los pasajeros?
8. ¿Por qué se dice que era un grupo de viajeros bastante cosmopolita?
9. Mientras los demás charlaban, ¿qué hacía Delia Conti?
10. Según ella, ¿por qué ladraba Bombón?
11. ¿Por qué no podía la camarera cumplir lo que Delia pedía?
12. ¿Qué decisión tomó Delia entonces?
13. ¿Qué siguió haciendo?
14. ¿Cómo pedía las cosas?
15. A bordo ¿qué se alistaban a hacer los pasajeros?
16. ¿Qué parecía la nieve?
17. ¿Por qué estaban emocionados los pasajeros?
18. De pronto ¿qué anunció una de las camareras por el altoparlante?
19. Según Delia, ¿quiénes la esperaban en Santiago?
20. ¿Qué trataban de explicarle las camareras?
21. ¿Qué anunció la camarera la última vez?
22. ¿Por qué pidió Delia bajar primero?
23. Cuando bajó, ¿qué vio con sorpresa?
24. ¿Quién era el joven que había llegado?

UN TREN EXPRESO EN BOLIVIA

Diciembre había llegado finalmente. En Bolivia, eso significa el fin del año académico° y el comienzo de la vacación de verano. Como todos los años, un grupo de mis amigos y yo nos preparábamos para regresar a casa. Asistíamos a la universidad en la ciudad de La Paz, pero todos éramos de Cochabamba, una pequeña ciudad del interior. Eran aún los primeros días de diciembre, pero ya se sentía el calor. Un calor seco, agradable, que nos sugería los placeres del verano. Todos nos encontrábamos de buen humor y ansiosos de volver a casa. Las últimas semanas habían sido demasiado cansadoras. Los exámenes y las fiestas de graduación° habían estado a punto de terminar con nuestras energías.

El día de nuestro viaje nos levantamos muy temprano. El tren salía a las 7:30, pero nosotros debíamos estar en la estación una hora antes si queríamos tener asiento. Como éramos estudiantes, no teníamos mucho dinero y apenas pudimos obtener un boleto de segunda clase. Es verdad que los asientos estaban numerados, pero ¡quién hacía caso a los números en segunda clase! Ibamos a tomar el tren expreso y esperábamos llegar a casa a las diez de la noche del mismo día.

Esa mañana llovía sin parar. No era un comienzo muy prometedor pero, muy pronto, nuestro entusiasmo pudo más que el mal tiempo. Cuando llegamos a la estación ya se había formado una cola. Nos metimos en ella. En cuanto se abrieron las puertas, toda la gente se apuró por entrar. En unos segundos había desaparecido el orden[1] de la cola y ya nadie se acordaba sino de dar empujones. Con gran dificultad, conseguimos meternos en uno de los compartimientos de segunda clase. Cada uno de nosotros llevaba algunos paquetes y bolsas.

---

[1] Note that **el orden** means "order" in the sense of "arrangement" or "formation," while **la orden** means "order" in the sense of "command" or "instructions."

Después de una hora, y cuando ya no cabía una persona más en nuestro compartimiento, el tren se puso en marcha. Empezó a subir lentamente hacia El Alto. Este es el nombre de la meseta al pie de la cual se encuentra la ciudad de La Paz. El camino de la ciudad hacia la meseta es uno de los más pintorescos. Poco a poco, la ciudad iba quedando abajo y se presentaba a nuestros ojos con todos sus contrastes: al lado de modernas avenidas, pequeñas calles de la época colonial. Y junto a edificios de varios pisos, se veían pequeñas casas indias. Parecía que el tren nunca lograría subir hasta El Alto. Sin embargo, cuando menos lo esperábamos, se nos ofreció la vista de la meseta andina. Una inmensa sábana gris donde la mirada se pierde, y donde el viento silba continuamente.

El tren se detuvo en la estación de El Alto. Aquí y allí se veían algunos puestos de indios que vendían café, huevos y papas fritas. Aunque seguía lloviendo, bajamos a tomar desayuno. Como no teníamos mucho dinero, no podíamos permitirnos el lujo de desayunar en el comedor del tren. Apenas acabamos de comer, el tren se puso en marcha otra vez. Los primeros momentos, todos estábamos callados. No importaba cuántas veces habíamos viajado por ese camino. La vista de la meseta andina siempre nos ponía tristes. Por las ventanillas del tren, veíamos la meseta fría, sin árboles. De rato en rato, aparecía alguna choza° india con su pequeño cultivo de papas. O un grupo de llamas. Siempre me había preguntado cómo era posible vivir en ese lugar tan solitario.

la choza: *hut*

Uno de los muchachos empezó a contar cuentos. De esa manera comenzó a animarse nuestro grupo. Muy pronto, cada uno estaba contando algo. Una vez que nos cansamos de eso, nos pusimos a cantar. Así el viaje se hacía menos monótono.□

En las primeras horas de la tarde llegamos a Oruro, una pequeña ciudad de la meseta. Como el tren debía parar por un largo rato, aprovechamos para ir a almorzar en un pequeño restaurante cercano a la estación. La lluvia seguía cayendo.

Cuando salíamos de Oruro, estábamos más alegres. No sólo porque habíamos comido bien sino porque dejábamos atrás la meseta. Por fin tendríamos una vista más pintoresca. Ya comenzaban a aparecer algunos árboles: bajábamos hacia los valles centrales. Mientras tanto, no había dejado de llover por un momento. Era fascinante observar las aguas de la lluvia. Parecían ríos que caían por los lados de las montañas. El camino del tren pasaba entre montañas y parecía que algunas rocas iban a caer sobre el tren de un momento a otro.

En nuestro compartimiento, había una animación general. Los otros pasajeros reían y charlaban alegremente. Algunos habían sacado sus bolsas de comida y comían con gran apetito. Nosotros decidimos jugar a las cartas° para variar de actividades. Estábamos concentrados▫ en el juego cuando, de pronto, el tren se sacudió y paró con gran ruido. No tuvimos tiempo para darnos cuenta de lo que pasaba. Fuimos arrojados al piso y en ese momento una bolsa cayó sobre mi cabeza. Se oían gritos y juramentos y el ruido de las cosas que caían. Era todo una confusión. Pasados unos momentos y cuando ya todos empezábamos a calmarnos, alguien gritó que había ocurrido un desprendimiento de tierra.° Sólo eso faltaba. ¡Qué suerte la nuestra!

jugar a las cartas: *to play cards*

desprendimiento de tierra: *landslide*

Cuando ya la confusión había desaparecido, decidimos bajar a ver lo que había pasado. Lo que vimos no nos gustó mucho. Una masa de tierra y rocas▫ detenía el paso del tren. Los desprendimientos de tierra eran frecuentes durante el verano por ser la estación de lluvias. Pero pasarnos esto a nosotros, ¡no había derecho! Uno de los empleados del tren nos dijo que ya habían pedido auxilio a la población vecina. ¿Cuánto tiempo iban a tardar en arreglar eso? Quién sabe.

De mala gana,° regresamos al tren. Casi dos horas después llegó un grupo de hombres que se pusieron a trabajar para limpiar el camino. Ya había oscurecido, y tuvieron que trabajar a la luz de unas lámparas. Creo que trabajaron casi toda la noche. Entretanto, mis amigos y yo nos pusimos a jugar a las cartas. Pasadas unas horas y

de mala gana: *unwillingly*

ya cansados de jugar, tratamos de dormir. Pusimos nuestros abrigos en el piso y nos acostamos allí. Nadie podía dormir. Fue una noche muy larga. Por fin, en las primeras horas de la mañana, nos quedamos dormidos.

Cuando despertamos, la luz del sol entraba por las ventanillas. No podíamos creerlo. Por fin había dejado de llover. Sacudimos nuestros cuerpos° y salimos rápidamente del tren. Era una mañana espléndida. Los obreros casi habían terminado su trabajo y el tren iba a salir muy pronto. No podíamos estar más contentos.

el cuerpo: *body*

A la media hora, el silbido del tren anunció que ya nos íbamos. Salimos lentamente de aquel lugar pero pasados unos minutos el tren empezó a correr. La vista se hacía cada vez más pintoresca. Ahora ya se veían muchos árboles y plantas de toda clase, y también animales. Aquí y allá se veían chozas y algunos indios trabajando en los campos. Ya sólo nos faltaban unas tres horas para llegar a nuestra ciudad. Reíamos y charlábamos animadamente, haciendo planes para las vacaciones. De pronto, en uno de los lugares más pintorescos, el tren se paró. Creímos que era algo sin importancia y nadie se preocupó. Pero después de un momento, vimos que la gente se ponía nerviosa y decía algo acerca de un río. Decidimos preguntar de qué se trataba.° Pero ¿era posible tener más dificultades? El tren se había detenido junto a un río y no podía seguir. Por causa de la lluvia, las aguas del río habían aumentado mucho y el camino del tren desaparecía debajo de ellas. En aquel lugar no había un puente.° El camino del tren pasaba directamente por el río que estaba seco la mayor parte del año. Pero ¿qué hacer en la estación de lluvias? Sólo entonces nos acordábamos de la necesidad de un puente.

tratarse: *to be about*

el puente: *bridge*

No podíamos hacer otra cosa que esperar a que disminuyeran las aguas del río. Había que poner una buena cara a la mala situación. Decidimos dar una vuelta, visitar la población vecina y los campos cercanos. Los árboles estaban llenos de frutas y comimos bastante de ellas. Después de unas horas de andar, volvimos al tren y vimos un espectáculo pintoresco. Parecía que un picnic tenía lugar allí. Había grupos de gente, aquí y allí, sentados bajo los árboles, comiendo y bebiendo alegremente. Las aguas del río habían disminuido algo pero todavía debíamos esperar. Muy pronto empezó a ponerse oscuro. Temíamos pasar otra noche en el tren, y eso no era una broma. Cuando comentábamos de nuestra mala suerte, vino un empleado del tren y nos avisó que íbamos a tratar de atravesar el río, aprovechando que aún se podía ver. Todos entramos al tren y esperamos nerviosos el momento de pasar. Muy lentamente, el tren empezó a moverse. Estábamos excitados y nadie decía una palabra. Oíamos claramente el ruido del río. En ese momento, los segundos nos parecían horas. El tren iba lentamente y las aguas del río golpeaban° los compartimientos. Nos mirábamos los unos a los otros como preguntándonos si íbamos a lograr pasar. No sé cuánto tiempo duró aquello. Unos gritos generales nos trajeron a la realidad de que lo habíamos logrado. Entonces, nos olvidamos de todo lo que había pasado y ya no pensamos más que en llegar a casa. Felizmente, el tren empezó a correr sin ninguna dificultad. Rápidamente íbamos llegando a nuestro destino. Cuando vimos las luces de nuestra ciudad muy cerca, entonces estuvimos tranquilos. Llegábamos muy cansados pero contentos. ¿Después de cuántas horas? ¿A quién le importaba? ¡Y pensar que habíamos tomado el tren expreso!

golpear: *to hit*

RENÁN SUÁREZ

PREGUNTAS

1. ¿Qué significa el mes de diciembre en Bolivia?
2. ¿Dónde estudiaban los muchachos?
3. ¿Por qué fueron cansadoras las últimas semanas?
4. ¿Cómo estaba la mañana del viaje?
5. En cuanto se abrieron las puertas, ¿qué pasó?
6. ¿Cómo eran los contrastes de la ciudad?
7. ¿Cómo era la meseta andina?

8. ¿Qué vendían los indios?
9. Aunque llovía, ¿por qué bajaron a desayunar los muchachos?
10. De rato en rato ¿qué cosas aparecían sobre la meseta andina?
11. Cuando salieron de Oruro, ¿por qué estaban más alegres los viajeros?
12. ¿Qué parecían las aguas de la lluvia?
13. ¿Qué temían los muchachos?
14. ¿Qué hacían los otros pasajeros del tren?
15. De pronto, cuando los muchachos jugaban a las cartas, ¿qué pasó?
16. ¿Qué gritó alguien?
17. Cuando bajaron, ¿qué vieron los muchachos?
18. ¿Qué les dijo uno de los empleados del tren?
19. ¿Quiénes llegaron casi dos horas después y para qué?
20. ¿Por qué se detuvo el tren junto a un río y no pudo seguir?
21. ¿Qué era lo único que podían hacer en esa situación?
22. ¿Qué espectáculo pintoresco vieron al regresar?
23. Cuando el tren pasaba, ¿qué hacían las aguas del río?
24. ¿Cómo supieron los muchachos que lograron pasar?
25. ¿Cuándo estuvieron por fin tranquilos?

SPANISH-ENGLISH VOCABULARY

All words occurring in this reader are present in the vocabulary except the following: (1) regular **-do** forms used as adjectives when the appropriate meaning is listed under the infinitive, (2) most proper names, (3) parts of verbs other than the infinitive and irregular **-do** forms, (4) adverbs ending in **-mente** when the meaning is equivalent to the corresponding English adjective plus "–ly," (5) superlatives ending in **-ísimo,** and (6) most diminutives ending in **-(c)ito** and **-(c)illo.**

No indication of gender is given for masculine nouns ending in **-o,** feminine nouns ending in **-a,** and nouns not ending in **-o** or **-a** that can be either gender.

Only the masculine singular form is given for adjectives.

Words used both as nouns and as adjectives are listed only once, except where it is necessary to indicate gender. In case different words are used in English, the noun definition comes after the adjective definition, and is separated by a semicolon, thus: **joven** young; young man.

Verbs which are obligatorily reflexive are indicated thus: **atreverse.** Intransitive verbs which may optionally take a reflexive pronoun are indicated thus: **morir**(**se**). Verbs which may be used either transitively or reflexively are indicated thus: **vestir**(**se**); in case different words are used in English, the definition corresponding to the reflexive use comes after that corresponding to the transitive use, and is separated by a semicolon, thus: **explicar**(**se**) to explain; understand.

A clue to the kind of irregularity of certain verbs is given in parentheses after the entry.

ABBREVIATIONS

abbr	abbreviation	*inf*	infinitive
adj	adjective	*interj*	interjection
adv	adverb	*m*	masculine
aux	auxiliary	*m/f*	masculine or feminine
expr	expression	*pl*	plural
f	feminine	*prep*	preposition
impers	impersonal	*sing*	singular

A

a to, at, from, by, on; **a bordo** on board; **a los pocos...** a few . . . later, in a few . . . **de a cuánto** of what denomination

abajo down, under, downstairs; **río abajo** down river

abandonar to abandon

abierto open, opened

abrazo hug, embrace

abrigo topcoat, overcoat

abrir to open

abrupto abrupt

absoluto absolute

absurdo absurd

abuela grandmother

abuelo grandfather; **abuelos** grandparents

abundancia abundance
abundante abundant
aburrido boring, bored
acá here
acabar(se) to finish, end, wind up; be over; **acabar de** to have just
academia academy, school
académico academic
acariciar to caress
acaso perhaps; **por si acaso** just in case
accidente *m* accident
acción *f* action
aceptar to accept
acera sidewalk
acerca de concerning, about
acercar(se) (qu) to approach
acompañar to accompany
aconsejar to advise
acordarse (ue) (**de**) to remember
acostarse (ue) to go to bed
acostumbrarse (a) to become accustomed to
actitud *f* attitude
actividad *f* activity
actor *m* actor
actriz *f* actress
actuar (ú) to act, appear on stage
acuático aquatic
acudir (a) to go (to)
acuerdo agreement; **de acuerdo** (it's) agreed; **estar de acuerdo** to agree; **llegar a un acuerdo** to come to an agreement
adelante ahead; **seguir adelante** to keep going
además besides
adiós good-by
adivinar to guess
administrador *m* administrator
admirable admirable
admirar to admire, astonish
admitir to admit
aduana customhouse
advertir (ie, i) to warn
aéreo aerial, air
aerolínea airline
aeropuerto airport
afectado affected, with affectation
afecto affection
aficionado fan
afortunado fortunate
afuera outside
agente *m* agent
ágil agile
agitado upset, agitated
agosto August
agotar to exhaust
agradable agreeable
agradar to be pleasing, please, like
agradecer (zc) to thank, be grateful for
agradecido grateful
agrario agrarian
agricultura agriculture
agua water
aguafiestas *m/f sing* wet blanket
aguantar to bear, endure, stand
agudo sharp
¡Ah! Ah! Oh!
ahí there
ahora now; **ahora mismo** right now; **Ahora vuelvo.** I'll be right back.
ahorrar to save
aire *m* air; **al aire libre** in the open air
ají *m* hot pepper, dish made with this pepper
al = a + el; al + *inf* upon + -ing *form of verb*
alarma alarm
alarmado alarmed
albóndiga meatball
alcalde *m* mayor
alcanzar (c) to reach
alcohol *m* alcohol
alegrar(se) to make happy; be happy
alegre happy
alegría happiness
alejar(se) to move (something) away; go away
alemán German
alerto alert
algo something; **por algo** there's a reason why; **tener algo de** to be a little
alguien someone, somebody
alguno some, any
alistar(se) to make ready; get ready
almacén *m* store, department store
almuerzo lunch
aló hello
alojamiento lodging
alrededores *m pl* surroundings
altitud *f* altitude
alto tall, high; **en voz alta** out loud
altoparlante *m* loudspeaker
alumbrar to illuminate

allá there
allí there
ama housewife, mistress of the house
amabilidad *f* courtesy, kindness
amable kind, nice, amiable
amarillo yellow
amarrar to tie (up)
ambiente *m* atmosphere
ambos both
ambulancia ambulance
amenazar (c) to threaten
americano American
amiga friend
amigo friend; **hacerse amigos** to become friends; **poco amigo de** not much of a friend of, not very friendly toward
amistad *f* friendship; **amistades** friends
amor *m* love
andar to walk; **andar de viaje** to take a trip
andino Andean
ángel *m* angel
anillo ring
animación *f* animation, liveliness
animado animated, lively
animal *m* animal
animar(se) to enliven, cheer up; get lively, take heart
anochecer (zc) to grow dark (at the approach of night)
ansioso anxious, eager
ante in the face of, before
antemano: de antemano beforehand
anterior before, preceding
antes *adv* before; **antes de** *prep* before; **antes que nada** before everything; **cuanto antes** as soon as possible; **lo antes** as soon as; **lo más antes possible** as soon as possible
antiguo old, ancient
anunciar to announce
anuncio announcement, advertisement
añadir to add
año year; **Año Nuevo** the New Year
apagar (gu) to put out (a light)
aparecer (zc) to appear
aparentar to make (it) look like
aparente apparent
aparición *f* apparition
apariencia appearance
apellido surname; **apellido de soltera** maiden name
apenas barely, just, scarcely
apéndice *m* appendix
apendicitis *f* appendicitis
apetito appetite
aplaudir to applaud
aplauso applause
apostar (ue) to bet
apoyar to support
apreciar to appreciate
aprender to learn
apresurar(se) to hurry (up)
apretado squeezed together
apretar (ie) to clasp, squeeze
apropiado appropriate
aprovechar to take advantage of, make use of
apuesta bet
apurado in a hurry, rushed
apurar(se) to quicken; hurry
apuro trouble
aquel that; **aquella** that; **aquello** that; **aquellos** those
aquél that one; **aquélla** that one; **aquéllos** those
aquí here
aragonés pertaining to Aragon
araña spider
árbol *m* tree
arco goalposts
arena arena, sand
argentino Argentine
aritmética arithmetic
armado armed
armenio Armenian
aroma *m* aroma
arquero goalee
arquitectura architecture
arreglar to arrange, fix
arreglo arrangement, fix
arriba up, upstairs, on top; **desde arriba** from above; **río arriba** up river
arrojar to throw, fling
arroz *m* rice
arte *f* art
artificial artificial; **fuegos artificiales** fireworks
artritis *f* arthritis
asegurar(se) to assure, affirm; assure oneself
asesinado assassinated
asfixiado asphyxiated
así like that, that way, so; **así que** such that, so that

asiento seat
asistir to attend
asma asthma
asociación *f* association
asomar to show, appear
asombrado astonished, surprised
aspecto aspect, look
aspirina aspirin
asunto matter, affair
asustar to frighten, scare
atacar (qu) to attack
ataque *m* attack
atención *f* attention, kindness; **atención de** (through the) courtesy of; **llamar la atención** to attract attention; **llamarse la atención** to impress
atender (ie) to wait on, take care of
atento attentive, watchful
aterrizar (c) to land (an airplane)
atmósfera atmosphere
atractivo attractive
atrapado trapped
atrás behind
atravesar (ie) to cross, go through
atreverse to dare
auca *m* Auca Indian
aumentar to increase, augment
aun even
aún still, yet
aunque although
ausencia absence
autobús *m* bus
autógrafo autograph
automático automatic
automóvil *m* automobile
autor *m* author
autoridad *f* authority
auxilio aid, help; **primeros auxilios** first aid
avenida avenue
aventura adventure
aventurar to hazard, venture
averiguar to find out, check, investigate
aviación *f* aviation
ávido avid
avión *m* airplane
avioneta small airplane
avisar to inform, advise, tell, let someone know
¡Ay! Oh! Ouch!
ayer yesterday
ayuda help, aid
ayudar to help
azúcar *m* sugar
azul blue

B

bachillerato bachelor's degree, course of study leading to a bachelor's degree
bailar to dance
baile *m* dance
bajar(se) to go (come) down, descend, lower; to get off, get down
bajo short; *adv* under; **en voz baja** in a soft voice
balcón *m* balcony
balsa raft
banana banana
banco bank, bench
banda band
bandera flag
bañar(se) to bathe; go swimming
baño bathroom
bar *m* bar
barato cheap, inexpensive
barbaridad *f* barbarity, rashness, wild statement or deed; **¡Qué barbaridad!** My heavens! What nonsense!
bárbaro rash
barítono baritone
barrio neighborhood, quarter
base *f* base
básquetbol *m* basketball
basquetbolista *m/f* basketball player
bastante *adv* enough, quite
bastar to be enough, suffice; **¡Basta de...!** Enough of . . . !
batalla battle
beber to drink
beca scholarship, fellowship
bello pretty
bicicleta bicycle
bien well, good, fine, very
billar *m* billiards, pool; **sala de billar** pool hall, billiard parlor
billete *m* ticket
blanco white
boca mouth
bocina horn
bogotano pertaining to Bogotá
boina beret
bola ball
bolero bolero

boleto ticket
boliviano Bolivian
bolsa bag
bolsillo pocket
bomba bomb
bonito pretty
borde *m* border, edge
bordo: a bordo on board
borracho drunk
botella bottle
brasileño Brazilian
¡Bravo! Bravo!
brazo arm
brillar to shine
brindar to toast
broma joke; **en broma** as a joke
Bruselas Brussels
bueno good, well; **Bueno.** O.K. All right. **Buenos días.** Good morning.
bulto package
bullicioso noisy
busca search
buscar (qu) to look for, get

C

cabalgar (gu) to ride horseback
caballo horse; **a caballo** on horseback
cabecera head (of a table or bed)
caber to fit, go into
cabeza head; **dolor de cabeza** headache; **tirarse de cabeza** to dive, throw oneself headlong
cada each, every; **cada quien** each one; **cada vez más** more and more
caer to fall
café *m* coffee, café, restaurant
caimán *m* alligator
caja box, cashier's box
cajetilla pack
calamar *m* squid
calcular to calculate
cálculo calculation, estimate
calefacción *f* heating
calentar(se) (ie) to heat, warm
caliente hot, warm
calma calm, calmness
calmar(se) to calm down
calor *m* heat
caluroso hot
callado quiet
callar(se) to silence; be quiet
calle *f* street
cama bed
cámara camera
camarera stewardess
cambiar to change, cash
cambio change, exchange; **en cambio** on the other hand
camilla stretcher
camino road; **en camino** on the way
camión *m* bus, truck
camisa shirt
campeón *m* champion
campeonato championship, tournament
campesino peasant
campo countryside, field
canal *m* canal
canción *f* song
cancha playing field, playing court
canoa canoe
cansado tired
cansador tiring
cansancio tiredness, weariness, fatigue
cansar(se) to tire; get tired
cantar to sing
cantidad *f* number, quantity
caña cane
capaz capable
capital *f* capital
capitalismo capitalism
capitán *m* captain
cara face
¡Caramba! Gosh! My heavens!
caravana caravan
cargado loaded, loaded down; **cargado de** loaded down with
cargar (gu) to carry (a load)
cariñoso fond, affectionate
carne *f* meat
caro expensive
carrera race; **carrera de caballos** horse race
carretera highway, road
carro car
carta letter, card; **jugar a las cartas** to play cards
cartera wallet, bag, purse
casa house; **a casa** home; **hecho en casa** homemade
casado married
casar(se) to marry; get married

cascabel *m* rattle; **culebra cascabel** rattlesnake
cascabel *f* rattlesnake
casi almost
caso case; **hacer caso** to pay attention
castaño brown
castigar (gu) to punish
castigo punishment
casualidad *f* coincidence
catalán Catalan
categoría category
catorce fourteen
causa cause; **a causa de** on account of
causar to cause
cavar to dig
caza hunting, hunt
cazador *m* hunter
cazar (c) to hunt
ceder to yield, give up
celebración *f* celebration
celebrar to celebrate, carry out
celos jealousy
cena supper, dinner
cenar to have supper
centavo cent
central central
céntrico central, downtown *(adj)*
centro downtown, center
cerca *adv* near; **cerca a** close, near; **cerca de** *prep* near; **de cerca** close, close up
cercanías *f pl* neighborhood, vicinity
cercano neighboring, nearby
cerdo pig; **chuleta de cerdo** pork chop
ceremonia ceremony
cero zero
cerrar (ie) to close
cerro hill
certificado certificate
cerveza beer
cía. *abbr for* **compañía** company
cielo sky
ciencia science
ciento one hundred, a hundred
cierto certain, sure, true
cigarrillo cigarette
cinco five
cincuenta fifty
cine *m* movies
circular circular
circular to circulate
círculo circle
cirugía surgery
ciudad *f* city
civil civil
civilización *f* civilization
civilizado civilized
claro light, clear; **Claro.** To be sure. **¡Claro!** Of course! **Claro que no.** Of course not.
clase *f* class, kind; **clase media** middle class
cliente client, customer
clientela clientele
clima *m* climate
clínica clinic
club *m* club
cobrar to charge, collect
cocina kitchen
cocinera cook
coche *m* car; **coche-comedor** dining car
coger (j) to catch, take
coincidencia coincidence
cojo lame
cola tail, end, line, queue
colección *f* collection
colegio school
colgado hung, hanged, hanging
colgar (ue, gu) to hang (up)
colombiano Colombian
colonial colonial
color *m* color
comandante *m* commander, commandant
comedor *m* dining room
comentar to comment (on)
comentario commentary
comenzar (ie, c) to begin
comer to eat
comercial commercial
comestibles *m pl* groceries, foodstuffs
comida dinner, meal, food
comienzo beginning
comisión *f* commission
como like, as; **como de costumbre** as is (was) usual; **como nunca** like never before; **como para ser** as to be
cómo what, how; **¿Cómo que...?** What do you mean . . . ? **¡Cómo no!** Sure! Why not!
cómodo comfortable
compañera companion, fellow student
compañero companion, fellow student
compañía company

comparación *f* comparison
compartimiento compartment
competencia competition
competir (i) to compete
completo complete, full
comprar to buy
comprender to understand; **de comprender** understandable, to be understood
comunicación *f* communication
comunista *m/f* Communist
con with
concentrado concentrated
concierto concert
concurso contest, competition
condición *f* condition
conducta conduct
confesar (ie) to confess
confianza confidence
confiar (í) to trust, have confidence
confidencial confidential
confundir(se) to confuse; mingle
confusión *f* confusion
congreso congress
conmigo with me
conmoción *f* commotion
conocer (zc) to be (become) acquainted with, know
conocido well-known
conseguir(se) (i) to get, succeed; bring in (money)
consejo advice, counsel
consentir (ie, i) to consent
conservador conservative
consideración *f* consideration
considerar to consider
consolar (ue) to console
consonante *m* consonant
constante constant
construir (y) to construct, build
consultar to consult, ask
consumir to consume
contacto contact, touch
contar (ue) to tell, relate, count; **contar sobre** to tell about
contener (ie) to contain
contento happy, pleased
contestar to answer
continuar to continue; **continuar a** to lead off from
continuo continuous, continual
contorsión *f* contortion
contra against
contrabandista *m/f* smuggler
contrabando contraband
contrario opposite, contrary, opposing; opponent, the contrary; **por el contrario** on the contrary
contraste *m* contrast
convencer(se) (z) to convince (oneself)
conveniente opportune
convenir (ie, i) to be suitable or fitting
conversación *f* conversation
conversar to converse, talk
convertir (ie, i) to convert, change, transform
coral *f* coral snake
corazón *m* heart
corbata necktie
cordillera mountain range
cordobés Cordovan
corpulento having a large body
corredor *m* corridor
corregir (i, j) to correct
correr to run, speed up
corrida (de toros) bullfight
cortar to cut
corto short (length, not height)
cortés courteous
cosa thing
coscorrón *m* bump or rap on the head
cosmopolita cosmopolitan
costa coast
costar (ue) to cost
costumbre *f* custom; **como de costumbre** as is (was) usual; **de costumbre** usual
cotidiano daily
crear to create
crecer (zc) to grow
crédulo credulous
creer (y) to believe; **Ya lo creo.** Yes, indeed.
criada maid, servant
crimen *m* crime
criticar (qu) to criticize
cruzar (c) to cross
cuadra block (of houses)
cual which
cuál which, what
cualquier, cualquiera any
cuando when; **de vez en cuando** from time to time, occasionally

cuándo when
cuanto: cuanto antes as soon as possible; **cuanto más... mejor** the more . . . the better; **en cuanto** as soon as; **en cuanto a** with regard to, as for; **unos cuantos** a few, some
cuánto how much; **cuántos** how many
cuarenta forty
cuarto fourth, quarter of an hour, room
cuatro four
cuatrocientos four hundred
cubano Cuban
cubierto covered
cubrir to cover
cuenta bill; **darse cuenta de** to realize
cuento story
cuerpo body
cuestión *f* question, matter
cuidado taken care of; care; **tener cuidado (de)** to be careful (about); **perder cuidado** not to worry
cuidadoso careful
cuidar(se) to watch, take care of; to take care of oneself, protect oneself
culebra snake; **culebra cascabel** rattlesnake
cultivado cultivated
cultivo cultivation, cultivated field
culto cultured, enlightened
cultural cultural
cumbia a Colombian folk-dance
cumpleaños *m sing* birthday
cumplir to accomplish, carry out; **al cumplir** + *expr of time* at the end of . . . **cumplir lo prometido** to keep one's promise
cuñado brother-in-law
curandero quack doctor, medicine man
curiosidad *f* curiosity
curioso curious
curso course, program of studies
curuba a tropical fruit
curva curve

CH

chalet *m* chalet
champaña *m* champagne
chao hello, good-by
chaqueta jacket
charlar to chat, talk informally
cheque *m* check; **cheque de viajero** traveler's check
chica girl
chico boy
chicha a corn liquor
chileno Chilean
chisme *m* (item of) gossip; **hacer chismes** to gossip
chismear to gossip
chocolate *m* chocolate
chofer *m* driver
chola a woman of mixed Indian and European parentage
chorizo sausage
chorro trickle
choza hut
chuleta chop; **chuleta de cerdo** pork chop
churrasquería *(Uruguay)* a kind of barbecue restaurant

D

daño harm
dar(se) to give; **dar a** to face, overlook; **dar vueltas** to go back and forth; **darse cuenta** to realize; **darse vuelta** to turn around
dato datum, fact
de of, from, to, by, with; **de a cuánto** of what denomination; **de acuerdo** (it's) agreed; **de... en...** from . . . to . . . **de parte de usted** on your side; **de saber esto** had I known this; **de todas maneras** anyway, at any rate; **de todos modos** anyway, at any rate
debajo (de) underneath, below
debate *m* debate
deber (de) ought, must, should
débil weak, feeble
decidir to decide
décimo tenth
decir(se) (i) to say, tell; call; **es decir** that is; **querer decir** to mean
decisión *f* decision
decorado decorated
dedicar (qu) to dedicate
dedo finger
defensa defense
definitivo deciding, definitive
deforme deformed
dejar(se) to leave, allow; **dejar de** + *inf* to stop . . . **dejarse** + *inf* to let oneself . . .
del = **de** + **el**

delante before, ahead, in front
delicado delicate
delicioso delicious
demás others, the rest (of them)
demasiado *adv* too much, too
demostrar (ue) to show, reveal, demonstrate
dentro *adv* inside, within; **dentro de** *prep* within, inside of
departamento department
depender (de) to depend (on)
deporte *m* sport
deportivo sporting
depositar to deposit
derecha right hand, right side; **a la derecha** on the right
derecho right; law, right
derivar en to lead to
desagradable disagreeable
desaparecer (zc) to disappear
desaparición *f* disappearance
desastre *m* disaster
desayunar(se) to have breakfast
desayuno breakfast
descansar to rest
descanso rest
desconocido unknown; stranger
descuido carelessness, negligence
descuidado careless
desconfianza distrust
descripción *f* description
descubrir to discover
desde from; **desde arriba** from above; **desde hace** + *expr of time* for, since
desear to wait, wish, desire
deseo desire
desesperación *f* desperation
desesperado desperate
desgraciadamente unfortunately
desierto desert
desmayar(se) to cause to faint; faint
desocupado empty, unoccupied
desolado desolate
despedida farewell
despedir(se) (i) to take leave, say good-by
despegar (gu) to take off, separate
despertar(se) (ie) to wake up
despierto awake
desprendimiento de tierra landslide
después *adv* afterward, later; **después de** *prep* after; **después de todo** above all
destapar to uncover
destino destination
destrozado destroyed
destruir (y) to destroy
desventaja disadvantage; **en una desventaja** at a disadvantage
detalle *m* detail; **Ahí está el detalle.** That's just the point.
detective *m* detective
detener(se) (ie) to stop, detain; stop, stay; **Queda usted detenido.** You are under arrest.
detrás (de) behind, in back of, in the background; **por detrás** from behind
deuda debt
devolver (ue) to return (an object)
día *m* day; **Buenos días.** Good morning. **el otro día** the following day
diablo devil; **¡Qué diablos!** What the devil!
diabólico diabolical
dialecto dialect
diamante *m* diamond
diario daily; **a diario** every day
diciembre *m* December
dicho said; **mejor dicho** rather
diecinueve nineteen
dieciocho eighteen
diez ten
diferencia difference
diferenciar to differentiate
diferente different
difícil difficult
dificultad *f* difficulty
dignidad *f* dignity
digno worthy
dios *m* god; **Dios** God; **¡Dios mío!** My goodness! **¡Por Dios!** For heaven's sake!
diosa goddess
diploma *m* diploma
diplomático diplomat
diputado deputy
dirección *f* address, direction
directo direct
director *m* director
dirigir(se) (j) to direct; head toward
disciplina discipline
disco record
disculpa pardon
disculpar to excuse, forgive
discurso speech, talk

discusión *f* discussion, argument
discutir to discuss, argue
disminuir (y) to diminish, decrease
disparar to shoot
disponer(**se**) to prepare; get ready
dispuesto ready
disputar to contend, dispute
distancia distance; **a poca distancia** at a short distance
distinguir to distinguish
distraer to distract
distraído distracted
diversión *f* diversion
diverso diverse, different
divertido amusing
divertir(**se**) (ie, i) to amuse; have a good time
dividir to divide
división *f* division
doble double
doce twelve
docena dozen
doctor *m* doctor
doctorado doctor's degree
dólar *m* dollar
dolor *m* pain; **dolor de cabeza** headache; **dolor de estómago** stomachache; **dolor de garganta** sore throat
dominar to dominate
domingo Sunday
don *m* title used before given name
donde where
dónde where
doña title used before given name
dormido asleep; **medio dormido** half asleep
dormir (ue, u) to sleep
dos two
doscientos two hundred
dramático dramatic
dramatizar (c) to dramatize
drástico drastic
duda doubt
dudar to doubt
duelo duel
dueña owner
dueño owner
durante during
durar to last
duro hard, hard-boiled

E

e and
económico economic
echar(**se**) to throw, pour; lie down; **echar a** + *inf* to begin to; **echar de menos** to miss; **echar una moneda** to flip a coin
edad *f* age
edificio building
educación *f* education, manners; **mala educación** bad manners
efecto effect
ejemplo example; **por ejemplo** for example
ejército army
el the; **los** the; **los Espinosa** the Espinosas
él he, him; **ellos** they, them
elección *f* election
eléctrico electric
elefanta elephant
elegante elegant
ella she, her; **ellas** they, them
embajada embassy
embargo: sin embargo however
embrujar to bewitch
emergencia emergency
emocionado excited, happy
emocionante exciting
empatar to tie
empeñar(**se**) to pledge; insist, persist
empezar (ie, c) to begin
empleado employee, clerk
empresa firm, company
empujar(**se**) to push
empujón *m* shove
en in, at, on, into; **en cuanto** as soon as; **en cuanto a** with respect to; **en medio camino** halfway; **en seguida** right away
enamorado lover
enamorarse (**de**) to fall in love (with)
encantador charming
encantar to charm, delight
encanto charm
encargado in charge of
encargar(**se**) (gu) to take charge (of); be used
encendido burning, lit
encontrar(**se**) (ue) to find; meet, come upon

encuentro meeting; **a mi encuentro** to meet me
energía energy
enérgico energetic
énfasis *m* emphasis
enfermar to get or make sick
enfermedad *f* illness, disease, sickness
enfermera nurse
enfermo sick; sick person
enfrentar to confront
enfrente opposite, across from
engaste *m* setting
¡Enhorabuena! Congratulations!
enojado angry
enojar(**se**) to anger; get angry
enorme enormous
ensalada salad
enseñar to show, teach
entender (ie) to understand
enterarse to learn, find out, be informed
entero entire, whole
entonces then
entrada entrance, doorway
entrar to enter
entre between, among
entregar (gu) to deliver
entrenador *m* trainer
entretanto *adv* meanwhile
entusiasmado enthusiastic
entusiasmo enthusiasm
entusiasta enthusiastic
envidia envy
época epoch, time
equilibrio equilibrium
equipaje *m* baggage
equipo team, equipment
equivalente equivalent
eréctil erect
esa that
escalera stairs
escándalo scandal, racket
escapada escape, escapade
escapar(**se**) to escape, get away
escaparate *m* show window
escena scene
escoger (j) to choose
esconder(**se**) to hide
escopeta shotgun
escribir to write, write down
escritor writer
escritorio desk
escuchar to listen
escuela school
ese *f* the letter "s"
ese that
esfuerzo effort
eso that; **a eso de** about; **por eso** for that reason, therefore
espacio space
español Spanish; Spaniard
especial special
especializarse (c) to specialize
especie *f* species
específico specific
espectacular spectacular
espectáculo spectacle, show
espectador *m* spectator
espejo mirror
espera wait; **sala de espera** waiting room
esperado awaited; **tan esperado** long-awaited
esperanza hope
esperar to wait (for), hope
espléndido splendid
esposa wife
esposo husband
esqueleto skeleton
esquina corner
esta this
ésta this one
establecido established
estación *f* season, station; **estación de lluvias** rainy season
estado state; **los Estados Unidos** United States
estallar to break out, explode
estar to be; **estar a punto de** to be about to; **estar de acuerdo** to agree
este this
éste this, this one
estilo style
esto this; **de saber esto** had I known this
estómago stomach; **dolor de estómago** stomachache
estrecho narrow
estricto strict
estudiante *m/f* student
estudiantil student *(adj)*
estudio study
estupendo stupendous, wonderful
estúpido stupid
etc. etc.
eterno eternal
etiqueta label, *(Argentina)* pack

eucalipto eucalyptus tree
europeo European
evidente evident
evitar to avoid
ex- ex-
exacto exact
exagerar to exaggerate
examen *m* exam, examination
examinar to examine
excelente excellent
excepción *f* exception
excepto except
excitado excited
exclamar to exclaim
exclusivo exclusive
excursión *f* excursion
excusa excuse
exhibir to exhibit
existir to exist
éxito success, outcome
exótico exotic
expectación *f* expectation
expectativa expectation
expedición *f* expedition
expensa: a expensas de ustedes at your expense
experiencia experience
experto expert
explicación *f* explanation
explicar(se) (qu) to explain; understand
exploración exploration
expresar to express
expresión *f* expression
expreso express
extendido extended
extra extra
extranjero foreign; stranger, foreigner
extrañado amazed, surprised
extrañar to surprise, seem strange
extraño strange; stranger
extraordinario extraordinary
extravagante extravagant
extremo extreme; end

F

fábrica factory
facial facial
fácil easy
facilidad *f* facility
facilitar to facilitate
fachada façade
falso false
falta lack
faltar(se) to need, lack; **no poder faltar** to be a must
fallar to miss, fail
familia family
familiar of the family, familiar
famoso famous
fanático fanatic
fantasma *m* ghost
fantástico fantastic
fascinante fascinating
fascinar to fascinate
fatal fatal
fatiga fatigue
favor *m* favor; **a favor de** in favor of; **por favor** please
favorito favorite
fecha date
felicidad *f* happiness
felicitaciones *f* congratulations
felicitar to congratulate, wish (someone) happiness
feliz happy
felizmente fortunately, happily
femenino feminine
fenomenal phenomenal
ferrocarril *m* railroad
festejo festive activity
festividad *f* festivity
fiel faithful; *adv* faithfully
fiesta party
figura figure
fijar(se) to fix; notice, look
fin *m* end; **al fin** finally; **fin de semana** weekend; **por fin** finally
final final
final *m* end
finca farm, estate
fino lovely, fine
firmar to sign
firme firm; *adv* firmly, strongly
flaco thin, lean
flamenco flamenco
flor *f* flower
flotar to float
folklore *m* folklore
forma form, manner
formar to form
formidable formidable
fórmula formula
formulario (printed) form

fortaleza fortress
fortuna fortune
forzado forced
foto *f* photo; **sacar fotos** to take pictures
fotografía photograph
fotógrafo photographer
fracaso failure
francés French; Frenchman
franco frank
frase *f* phrase
frazada blanket
frecuencia frequency; **con frecuencia** frequently
frecuente frequent
frente *adv* in front, opposite; **en frente de** opposite, in front of; **frente a** across from, in front of
fresa strawberry
fresco cool, fresh; coolness
frío cold
frito fried
frontera border, frontier
fruta fruit
fuego fire; **fuegos artificiales** fireworks
fuente *f* fountain
fuera outside
fuerte strong
fuertísimo violent
fuerza force
fumar to smoke
función *f* function
funcionar to function, work, run
furioso furious
furtivo furtive
fútbol *m* soccer
futuro future

G

galería gallery
galpón *m* shed without walls
gana desire; **de mala gana** unwillingly; **tener ganas** to want, feel like
ganar(se) to win, earn; gain
garganta throat; **dolor de garganta** sore throat
gasolina gasoline
gastar to spend
general general; **en general** generally
gente *f* people
gesto gesture
gigantesco gigantic
gitano Gypsy
gobierno government
gol *m* goal
golpe *m* blow
golpear to hit
gordo fat
gozar (c) to enjoy
gracias thanks, thank you
gracioso cute, amusing
grado grade, class, degree
graduación *f* graduation
graduado graduated
gramática grammar
grande large, big, great
gratis free
grave serious, grave
gravedad *f* seriousness; **de gravedad** serious
gringo (North) American
gris gray
gritar to shout
grito shout; **hablar a gritos** to shout
grupo group
guapo handsome, good-looking
guardar to save, guard
guardia: de guardia on guard duty
guardián *m* guardian
guatemalteco Guatemalan
guerra war
guerrilla *m* guerrilla
guía *m* guide
guitarra guitar
gustar to be pleasing
gusto pleasure, taste, liking

H

haber *aux* to have; *impers* to be; **lo mal habido** ill-gotten gains; **Qué hubo.** Hi.
habilidad *f* skill
habitación *f* room
habitante *m* inhabitant
habitual habitual
hablar to speak; **hablar a gritos** to shout
hacer to do, make; **desde hace** + *expr of time* for, since; **hace** + *expr of time* ago; **¿Hace tiempo...?** Has it been a long time . . . ? **hacer amistades** to make friends; **hacer caso** to pay attention; **hacer chismes** to gossip; **hacer señas** to motion, wave; **hacer falta** to need; **hace ya...** for . . . now; **hacerse**

to become; **hacía mucho tiempo** for a long time; **hará ganar a Gitano** Gitano is going to win
hacia toward
hacienda hacienda, farm, estate
¡Hala! *interj* Wake up! Get moving!
halagador praising
hambre *f* hunger; **tener hambre** to be hungry
hamburguesa hamburger
harina flour
hasta until, as far as, even; **Hasta pronto.** So long. **hasta que** *conj* until
hecho done; deed; **hecho un puño** made into a fist, crumpled (up)
helado ice cream
herido wounded
hermana sister
hermano brother
hermoso beautiful
hermosura beauty
héroe *m* hero
herramienta tool
hija daughter
hijo son
hipnotizado hypnotized
hipódromo racetrack
histérico hysterical
historia history
hollín *m* soot
hombre *m* man
hombro shoulder
honor *m* honor
honorario honorary
hora hour, time; **hora de comer** time to eat
horario schedule, time table
horno oven
horrible horrible
hospital *m* hospital
hospitalidad *f* hospitality
hotel *m* hotel
hoy today
hueso bone
huevo egg
humano human; human being
húmedo humid
humo smoke
humor *m* humor
¡Huy! *interj* Oh!

I

idea idea
ideal ideal
idealista idealistic
idiota *m/f* idiot
iglesia church
igual equal; the same
igualmente equally, just as
ilegal illegal
iluminar to illuminate
imaginación *f* imagination
imaginar(se) to imagine
imaginario imaginary
impaciencia impatience
impaciente impatient; **lo impaciente** how impatient
impacto impact
impedimento impediment
impermeable *m* raincoat
importación *f* importation, import
importado imported
importancia importance
importante important
importar to matter, be important, import
imposible impossible
impresión *f* impression
impresionante impressive
impresionar to impress
inca *m* Inca
incidente *m* incident
incluir (y) to include
incómodo uncomfortable
inconsciente unconscious
incredulidad *f* incredulity
increíble incredible, unbelievable
indicar (qu) to indicate
indiferente indifferent
indio Indian
indirecto indirect
industria industry
inflamación *f* inflammation
influencia influence
información *f* information
informar to inform
informe *m* report; **los informes** news
ingeniería engineering
ingeniero engineer
Inglaterra England
inglés English
inicial initial

iniciar to initiate
inmediato immediate
inmenso immense
inmigrante immigrant
inocente innocent; innocent one
insistencia insistence
insistir to insist
insolente insolent
inspector *m* inspector
instantáneo instantaneous
instante *m* instant
instintivo instinctive
instrumento instrument
insultar to insult
insulto insult
inteligente intelligent
intencional intentional
intensificar(se) (qu) to intensify; be intensified
intercambiar to interchange, exchange
intercambio exchange, interchange
interés *m* interest
interesante interesting
interesar(se) to interest; be interested in
interior interior
interior *m* interior
interminable interminable
internacional international
interno internal
interpretar to interpret
interrumpir to interrupt
intervención *f* intervention
intervenir (ie) to intervene
íntimo intimate, close
intranquilo disturbed, upset
inventar to invent
investigación *f* investigation
invierno winter
invitación *f* invitation
invitado guest
invitar to invite
ir to go; **¡Qué va!** What do you mean! Nonsense! **¡Vaya!** Well! **vamos a** + *inf* let's . . .
irónico ironical
irresponsabilidad *f* irresponsibility
isla island
islámico Islamic, Moslem
italiano Italian
itinerario itinerary
izquierda left hand; **a la izquierda** on the left
izquierdo left

J

jaguar *m* jaguar
jamón *m* ham
jardín *m* garden
jarra jar
jaula cage
jefe *m* chief, boss
jet jet
jockey *m* jockey
jorobado hunchbacked
jota aragonesa a typical dance of Aragon
joven young; young man
joyería jewelry shop
juego game, play (in a game)
juerga spree, binge; **juerga gitana** a gathering of Gypsy singers (and dancers)
jugador *m* player
jugar (ue, gu) to play; **jugar a la pelota** to play ball; **jugar a las cartas** to play cards
jugo juice
julio July
junto nearby; **junto a** next to, near; **juntos** together
juramento curse, oath
jurar to swear
justamente just, exactly
juvenil juvenile, youthful; **recuerdos juveniles** childhood memories

K

kantuta the national flower of Bolivia
kilómetro kilometer (about 0.62 of a mile)

L

la the; her, you, it; **las** the; them, you
labio lip
lado side; **al lado** beside; **por todos lados** everywhere
ladrar to bark
ladrón *m* robber, thief
lago lake
lámpara lamp, flashlight
lanzar(se) (c) to hurl; rush; **lanzarse en paracaídas** to jump by parachute
largo long; **a lo largo de** along the length of
laringitis *f* laryngitis

lástima shame, pity
lata tin can
lavar(se) to wash
le to him, to her, to you, to it; **les** to them, to you
lección *f* lesson
leche *f* milk
leer to read
lejos far, far away; **de lejos** at a distance
lengua language
lenguaje *m* language
lento slow
león *m* lion
letra letter
levantar(se) to raise; get up
leyenda legend
liberal liberal
libre free; **al aire libre** in the open air
libro book
limpiar to clean
limpio clean
línea line
listo ready; **estar listo** to be ready
lo it, him, you; **lo que** that, that which, what
localizar (c) to localize
loco crazy
locura madness
locutor *m* announcer, speaker
lograr to succeed (in), manage (to)
loro parrot
lotería lottery
lucha struggle
luego then, later
lugar *m* place
lujo luxury
lujoso luxurious
luminoso luminous, bright
luna moon
luz *f* light

LL

llama llama
llamada call
llamar(se) to call; to be named, be called; **llamar la atención** to attract attention; **llamarse la atención** to impress
llegada arrival
llegar (gu) to arrive, reach; **llegar a un acuerdo** to come to an agreement
llenar to fill, fill out (a form)
lleno full
llevar to take, carry, wear; **llevar muletas** to use crutches
llorar to cry, weep
llover (ue) to rain
lluvia rain; **estación de lluvias** rainy season

M

madama woman, madam
madera wood
madre *f* mother
maestra teacher
maestro teacher, maestro
magnífico magnificent, wonderful
mal *adv* badly; **menos mal** at least
maleta suitcase
maletín *m* overnight bag, brief case, doctor's emergency kit
malo bad; **de mal en peor** from bad to worse; **de mala gana** unwillingly; **lo mal habido** ill-gotten gains
mamá mother
mambo mambo
mandar to send, command, order
manejar to drive
manera manner, way; **de todas maneras** anyway, at any rate
mano *f* hand
mantener (ie) to maintain, support, keep
mantequilla butter
mañana morning
mañana *adv* tomorrow; **pasado mañana** the day after tomorrow
mapa *m* map
mar *m* sea
maravilloso marvelous
marcar (qu) to dial (a telephone)
marcha forward motion; **ponerse en marcha** to begin to move
marchar(se) to march; go away
mariposa butterfly
más more, most, plus; **cada vez más** more and more; **cuanto más... mejor** the more . . . the better; **el (la) más +** *adj* the most . . . **lo más antes posible** as soon as possible; **más que nunca** more than ever; **poder más** to win out; **poder más que** to be stronger than;

por más... que no matter how; **qué cosas más finas** what lovely things
masa mass
matar to kill
matrimonio married couple
máximo maximum; **al máximo** to the utmost
mayo May
mayor older, oldest, greater, greatest; **la mayor parte de** most of; **los mayores** the older ones, the grown-ups
me me, to me, myself
media stocking; **media corta** sock
medianoche *f* midnight
medicina medicine
médico medical; doctor
medida measure
medio half, middle; **clase media** middle class; **en medio camino** halfway; **en media carrera** halfway in the race; **en medio de** in the middle of; **medio dormido** half-asleep
mediodía *m* noon, noontime, midday
medir (i) to measure
meditación *f* meditation
mejor better, best; **a lo mejor** perhaps; **cuanto más... mejor** the more . . . the better; **mejor dicho** rather; **tanto mejor** so much the better
meningitis *f* meningitis
menor younger, youngest, minor; **los menores** the younger ones, the minors
menos less, least; **menos mal** at least; **por lo menos** at least
mental mental
mentira lie
merecumbé *m* a Colombian folk-dance
merendar (ie) to have a snack
merengue *m* merengue
merienda snack
mermelada marmalade
mes *m* month
mesa table
meseta plateau, mesa
meta finish line
meter(se) to put in, place; **meterse con** to meddle with, quarrel
metro meter (39.37 inches), subway
metro *abbr of* **metropolitano** subway
metrópoli *f* metropolis
mi my
mí me
microbio microbe
micrófono microphone
miedo fear; **tener miedo** to be afraid
miembro member
mientras while; **mientras tanto** meanwhile
miércoles *m* Wednesday
mil (a) thousand
milagro miracle
militar military
militar *m* member of the armed forces
millón *m* million
millonario millionaire
mina mine
minero mining; miner
ministerio ministry
minuto minute; **a los pocos minutos** in a few minutes
mío my, (of) mine; **Díos mío.** My heavens.
mirada look, glance
mirar to look (at)
misa Mass
miserable miserable
misionero missionary
mismo same; **ahora mismo** right now; **el mismo** + *noun* the very + *noun;* **nosotros mismos** we ourselves
misterio mystery
misterioso mysterious
mitad *f* half, middle; **en mitad** in the middle
moda fashion, style
moderno modern
modesto modest
modo: de todos modos anyway, at any rate
mojar(se) to wet; get wet
molestar(se) to bother; become bothered
molesto annoyed
momento moment
moneda coin; **echar una moneda** to flip a coin
monopolizar (c) to monopolize
monotonía monotony
monótono monotonous
montaña mountain
montañoso mountainous
montón *m* heap, pile
moreno dark, dark brown

morir (ue, u) to die
moro Moorish
mosaico mosaic
mostrador *m* counter, showcase
motivo motive
motocicleta motorcycle
motor *m* motor
mover(**se**) (ue) to move; move around
movimiento movement
mozo boy, waiter
muchacha girl
muchacho boy
mucho much, many
mucho *adv* much, a great deal
mudar(**se**) to change, move (change houses)
muerto dead; corpse
mujer *f* woman
mula mule
muleta crutch; **llevar muletas** to use crutches
multiplicado multiplied
multitud *f* multitude
mundo world; **todo el mundo** everybody
municipal municipal
muñeca doll; **muñeca de trapo** rag doll
murciano Murcian
murmullo murmur
murmurar to murmur
museo museum
música music
músico musician
muy very

N

nacer (zc) to be born
nación *f* nation
nacional national
nacionalidad *f* nationality
nada nothing; **antes que nada** before everything; **de nada** you're welcome, not at all
nadie no one
naranja orange
narración *f* narration
natural natural
naturalidad *f* naturalness
náusea nausea
Navidad *f* Christmas
necesario necessary
necesidad *f* necessity
necesitar(**se**) to need; be necessary
negar(**se**) (ie, gu) to refuse
negativo negative
negocio business
negro black
nerviosidad *f* nervousness
nervioso nervous
ni nor, not even; **ni siquiera** not even
niebla fog
nieta granddaughter
nieto grandson; **nietos** grandchildren
nieve *f* snow
ninguno no one, none, no
niña girl
niño boy; **niños** boys, boys and girls, children
no no, not
noble noble
nocturno nocturnal
noche *f* night
nombre *m* name
normal normal
norte *m* north
norteamericano (North) American
nos us, to us, ourselves
nosotros we, us
nota note, grade
notar to notice, note
noticia news (item); **las noticias** news
noventa ninety
novia sweetheart, girl friend, fiancée
novio sweetheart, boy friend, fiancé
nube *f* cloud
nuestro our, ours
nueve nine
nuevo new; **de nuevo** again
numerado numbered
numeroso numerous
nunca never; **como nunca** like never before; **más que nunca** more than ever

O

o or
objeción *f* objection
objeto object
obligado obliged
obrero laborer
observar to observe

obtener (ie) to obtain
ocasión *f* occasion
octubre *m* October
ocultar to hide
ocupado occupied, busy
ocupar(se) to occupy; occupy oneself
ocurrir to occur, happen
ochenta eighty
ocho eight
oeste *m* west
ofender offend
oficial official
oficina office
ofrecer(se) (zc) to offer; be offered
oído inner ear
oír (y) to hear; **a oírse** to be heard; **oír decir** to hear (it) said; **¡Oye!** Say!
¡Ojalá! I hope so!
ojo eye
ola wave
oligarquía oligarchy
olor *m* smell, odor; **olor a** odor of
olvidar(se) to forget; be forgotten
olla pot
ómnibus *m* bus
once eleven
operación *f* operation
operar(se) to operate; be operated on
opinión *f* opinion
oportunidad *f* opportunity
optimismo optimism
orador *m* orator
orden *m* order (arrangement)
orden *f* order, command; **a sus órdenes** at your service
ordenar to arrange, put in order, order
organización *f* organization
organizar (c) to organize
órgano organ
orgullo pride
orgulloso proud
oriental eastern
original original
orilla shore
orquesta orchestra
orquídea orchid
oscurecer (zc) to get dark
oscuridad *f* darkness
oscuro dark
otro other, another; **al otro día** on the next day; **otra vez** again
oxígeno oxygen

P

paciencia patience
paciente patient
padre *m* father; **padres** parents, fathers
pagar (gu) to pay (for)
país *m* country
paisaje *m* landscape, countryside
paja straw
palabra word
palacio palace
palangana washbasin
pálido pale
palmada handclapping
paloma dove
pampa pampa
pan *m* bread
pancho *(Argentina)* hot dog
panqueque *m* pancake
pantalones *m pl* pants
pañuelo kerchief
papa potato
papá *m* father
papel *m* paper
par *m* pair, couple
para to, for, in order to, by; **como para ser** as to be; **para que** *conj* so that, in order that; **para qué** why; **para sí** to oneself
paracaídas *m sing* parachute; **lanzarse en paracaídas** to jump by parachute
parada stop
paralizado paralyzed
parar(se) to stop; stop, stand
parecer(se) (zc) to seem, appear; resemble
pared *f* wall
pareja couple, pair, partner
pariente relative
parque *m* park
parquear to park
parte *f* part; **de parte de** from, on the part of; **de parte de usted** on your side
participar to participate
particular private, particular
partida game
partidario supporter
partido game, (political) party
pas *m* pass (of a ball)
pasado past; **pasado mañana** day after tomorrow; **Pasados unos momentos...** After several moments had gone by . . .

pasajero passenger
pasaporte *m* passport
pasar to pass, happen, go by
pasear(se) to walk; take a walk, walk back and forth
paseo walk, stroll
pasillo hall
paso pace, step
pastel *m* cake, piece of cake
patio patio, courtyard
pausa pause
peculiar peculiar
peculiaridad *f* peculiarity
pedazo piece
pedir (i) to ask (for), request
pegar (gu) to stick
peinar(se) to comb, stroke; comb one's hair
pelea fight
pelear to fight, quarrel
película film, movie
peligro danger
peligroso dangerous
pelirrojo with red hair
pelo hair
pelota ball; **jugar a la pelota** to play ball
pena: valer la pena to be worthwhile
penetrar to penetrate
pensamiento thought
pensar (ie) to think, intend, consider
pensión *f* boardinghouse
peor worse, worst; **de mal en peor** from bad to worse
pequeño small
perder (ie) to lose; **perder cuidado** not to worry
perdonar to pardon
perezoso lazy
perfecto perfect
perfume *m* perfume
periódico newspaper
periodista *m/f* newspaperman, newspaper woman
período period
permiso permission; **con permiso** excuse me
permitir to permit; **¿Me permite su sombrero?** May I take your hat?
pero but
perro dog
persona person
personal personal
pertenecer (zc) to belong
pesadilla nightmare
pesado heavy, weighty
pesar to weigh; **a pesar de** in spite of, even though
peso peso (monetary unit), weight
picnic *m* picnic
pico peak
pie *m* foot
piedra stone
pierna leg
pila pile
piloto pilot
pintado *(slang)* jaguar
pintar(se) to paint; put on make-up
pintoresco picturesque
piropo compliment
pisco a grape brandy
piso floor, story of a building
pista (race)track, runway
pistola pistol
placer *m* pleasure
plan *m* plan
planchar to iron
planear to plan
planta plant
plantación *f* plantation
plástico plastic
plataforma platform
plato plate
playa beach
plaza square, bullring
pleno full; **en pleno verano** in the middle of summer
población *f* city, town, population
pobre poor
pobreza poverty
poco little, few; **a los pocos minutos** a few minutes later; **poco a poco** little by little; **por poco** almost
poder (ue, u) to be able, can, may; **no podía faltar** to be a must; **poder más** to win out; **poder más que** to be stronger than
poema *m* poem
poeta *m* poet
policía *m* policeman
policía *f* police
política politics

político political
pollo chicken
poncho poncho, sarape
poner(se) to put, place; put on, get; **ponerse a** to begin; **ponerse de pie** to stand up; **ponerse en marcha** to start to move; **ponerse triste** to make or become sad
popular popular
por by, for, through, during; **por algo** there's a reason; **por eso** therefore, for that reason; **por favor** please; **por fin** finally; **por lo menos** at least; **por más... que** no matter how . . . **por poco** almost; **por qué** why; **por supuesto** of course
pordiosero beggar
porque because
portarse to behave, act
portugués Portuguese
posibilidad *f* possibility
posible possible
posición *f* position
posponer to postpone
postre *m* dessert
práctica practice
practicante *m* medical practitioner without a medical degree
practicar (qu) to practice
precio price
precioso precious, lovely
precipicio precipice
precisamente precisely, as a matter of fact
preferencia preference
preferir (ie, i) to prefer
pregunta question
preguntar to ask
preliminar preliminary
premiado winning, rewarded
premiar to reward, award (a prize)
premio prize
prender to light, turn on
preocupación *f* worry
preocuparse to worry, be concerned
preparación *f* preparation
preparar(se) to prepare
preparativo preparation
presentar(se) to introduce, present; occur, appear, turn up
presente present
presentir (ie, i) to have a presentiment
presidencial presidential
presidente *m* president
presión *f* pressure
prestar to lend, provide
prestigio (matter of) prestige
pretender to pretend
prima (girl) cousin
primavera spring
primero first; *adv* first; **de primera** first-class; **primeros auxilios** first aid
primo (boy) cousin; **primo hermano** first cousin
principal principal, main
principio beginning; **al principio** at first
prisa haste; **tener prisa** to be in a hurry
probable probable
probar (ue) to try, taste
problema *m* problem
procurar to try
producir (zc) to produce
profesional professional
profesor *m* professor, teacher
profesora professor, teacher
profundo deep, profound
programa *m* program
prohibir to prohibit
promesa promise
prometedor promising
prometer to promise
prometido promise; **cumplir lo prometido** to keep one's promise
prominente prominent
pronto soon; **de pronto** suddenly; **Hasta pronto.** So long. **tan pronto como** as soon as
pronunciación *f* pronunciation
pronunciar to pronounce
propina tip
propio own, proper
proponer to propose
propósito purpose; **a propósito** by the way, on purpose
protección *f* protection
proteger(se) (j) to protect
protestar to protest
provocar (qu) to provoke; (*Colombia*) to want
próximo next
público public; audience, public

proyecto project; **en proyecto** projected
prueba test
psicológico psychological
pueblo town
puente *m* bridge
puerta door
puerto port, harbor
pues well, then
puesto stall, stand, place
punto point; **a punto de** on the point of; **en punto** sharp, on the dot; **estar a punto de** to be about to
puño fist; **hecho un puño** doubled up (like a fist), crumpled (up)
puro pure, simple

Q

q. p. d. *abbr for* **que en paz descanse** may he (she) rest in peace
que that, who, which, for, because, than; **antes que nada** before everything; **por más... que** no matter how . . . **ya que** since
qué what, how, which; **por qué** why; **¡Qué diablos!** What the devil! **¡Qué hubo!** Hi! **¿Qué tal?** How are you? **¿Qué va!** Go on!
quedar(**se**) to be, be left, remain; remain, stay; **Queda usted detenido.** You are under arrest. **quedar en** to agree
quejarse to complain
quena Peruvian flute
querer (ie) to want, like, love; **querer decir** to mean
querido dear
quien who, whom; **cada quien** each one
quién who
quieto quiet
química chemistry
quince fifteen
quinientos five hundred
quinta inn, summer house
quinto fifth
quitar to take away
quizás perhaps

R

racional rational
radio *f* radio
rápido rapid
rapidez *f* rapidity
raro rare, strange
rato short time, while
raya stripe, line
raza race
razón *f* reason; **tener razón** to be right
reacción *f* reaction
reaccionar to react
real real, royal
realidad *f* reality; **en realidad** actually
realizado made
rebelión *f* rebellion
recado message
recibir to receive
reciente recent
recitar to recite
recoger (j) to pick up
recomendar (ie) to recommend
reconocer (zc) to recognize
recordar (ue) to remember
recorte *m* clipping
recostado reclining
recostar(**se**) (ue) to lean (against)
recuerdo memory; **recuerdos** regards; **recuerdos juveniles** childhood memories
réferi *m* referee
reforma reform
refresco refreshment, soft drink
refugio refuge
regalar to give as a present
regalo present
regio wonderful
región *f* region
regional regional
registrar to register, record
regla rule
regresar to return
regreso return; **de regreso** on the way back
rehusar to refuse
reino reign, realm, kingdom
reír (í) to laugh
relación *f* relation; **relaciones exteriores** foreign affairs
reloj *m* watch, clock
remar to row
remedio remedy, choice; **No hay más remedio.** There's nothing else (to do).

remoto remote
repente: de repente suddenly
repetir (i) to repeat
replicar (qu) to reply
reprender to reprehend
representar to represent
republicano republican
resentido resentful; *adv* resentfully
reserva reservation
reservar to reserve
resfriado cold
residencial residential
resignar to resign
resistir to resist
resolver (ue) to solve, resolve
respectivo respective
respecto: con respecto a with regard to
respeto respect
respiración *f* respiration
responder to respond
responsabilidad *f* responsibility
responsable responsible
respuesta reply
restaurante *m* restaurant
resto rest; **los restos de** what was left of
restorán *m* restaurant
resultado result, outcome
resultar to turn out to be, result
reticencia reticence
reumatismo rheumatism
reunido reunited
reunión *f* meeting
reunir(se) to get together, meet
revisar to look over, check
revista magazine
revolución *f* revolution
revuelto: huevos revueltos scrambled eggs
rico rich
ridículo ridiculous
rigor *m* rigor
rincón *m* corner
río river; **río abajo** down river; **río arriba** up river
risa laughter
rival rival
roca rock
rogar (ue, gu) to beg, implore, plead, request
rojo red
romántico romantic
romper(se) to break
ron *m* rum
ropa clothing
roto broken
rubio blond
rueda wheel
ruido noise
ruidoso noisy
ruina ruin
rumor *m* rumor, soft continuous sound
ruso Russian
rutina routine

S

sábado Saturday
sábana sheet, savanna
saber to know (how), find out; **de saber esto** had I known this
sabroso tasty, delicious
sacar (qu) to take out, pull out; **sacar fotos** to take pictures; **sacar una... nota** to get a . . . grade
sacrificio sacrifice
sacudir to shake
sala living room; **sala de billar** pool hall, billiard parlor; **sala de clase** classroom; **sala de espera** waiting room
salamanquino pertaining to Salamanca, cultured
salario salary, wage scale
salida departure, exit
salir to leave, come (go) out
salto jump; **de un salto** with one bound
salud *f* health
saludar to greet
saludo greeting
salvaje savage
salvar to save
sándwich *m* sandwich
sangre *f* blood
santuario sanctuary
sapo a target game
sargento sergeant
satisfecho satisfied
se oneself; to him, to her, to you, to them; one
sección *f* section
seco dry
secreto secret
secretaria secretary
secundario secondary
sed *f* thirst; **tener sed** to be thirsty

seguida: en seguida immediately, right away
seguido consecutive; **seguido por** (**de**) followed by
seguir (i) to continue, follow; **seguir adelante** to keep going
según according to, as
segundo second
seguramente surely, probably
segurar to assure
seguridad *f* security, sureness
seguro sure; insurance (policy)
seis six
selección *f* selection
selva jungle
semana week; **fin de semana** weekend
semi semi
semiparalizado half-paralyzed
sensación *f* sensation
sentarse (ie) to sit down
sentir(**se**) (ie, i) to regret, be sorry; to feel (good, bad, etc.)
seña sign, gesture; **hacer señas** to motion, wave
señal *f* signal
señalar to point to
señor *m* Mr., sir, man
señora Mrs., lady, wife
señorita Miss, lady
separar to separate
septiembre *m* September
ser to be; **como para ser** as to be; **sería** it would be
serie *f* series
serio serious; **en serio** seriously
servicio service
servidor *m* servant
servir (i) to serve
sesenta sixty
setecientos six hundred
severo severe
si if, whether, why *(interj)*
sí yes
sí oneself; **para sí** to oneself; **volver en sí** to regain consciousness
siempre always
sierra mountain range
siesta siesta
siete seven
siglo century
significar (qu) to mean, signify
siguiente following; **al día siguiente** on the following day
silbar to whistle
silbido whistle, (act of) whistling
silencio silence
silencioso silent; *adv* silently, in silence
silla chair
similar similar
simpático nice, charming
simple simple
simultáneamente simultaneously, all at once
sin without; **sin embargo** however
sinceridad *f* sincerity
sino but
síntoma *m* symptom
sinusitis *f* sinusitis
siquiera at least, even; **ni siquiera** not even
sirvienta servant
sistema *m* system
sitio place
situación *f* situation
situado situated
sobre about, on, over; **contar sobre** to tell about; **sobre todo** especially
sobrenatural supernatural
sobrevivir to survive
sobrina niece
sobrino nephew
sociable sociable
social social
sofocante suffocating
sol *m* sun
solamente only
soldado soldier
solemne solemn
soler (ue) to be used to, accustomed to
solicitud *f* solicitude
solitario solitary
solo alone
sólo (**solamente**) only, just
soltero single; **apellido de soltera** maiden name
solución solution
sombra shadow, shade
sombreado shady
sombrero hat; **¿Me permite su sombrero?** May I take your hat?
someter(**se**) to submit, subject; to submit (to), go through
sonreír(**se**) (í) to smile
sonriente smiling

sonrisa smile
soñar (ue) to dream
sopa soup
soprano soprano
sorprender(se) to surprise; be surprised
sorpresa surprise
sorteo drawing (in a lottery or raffle)
sospecha suspicion
sospechar to suspect
sospechoso suspicious
su his, her, their, your, its
suave smooth, soft, gentle
subir to get on (a bus), go up, raise
suceder to happen
sucio dirty
sudamericano South American
suelo floor
suerte *f* luck; **tener suerte** to be lucky
suficiente enough, sufficient
sufrir to suffer
sugerir (ie, i) to suggest
suiza Switzerland
sujetar to subdue, hold fast
suma sum
superior superior
superioridad *f* superiority
superstición *f* superstition
supersticioso superstitious
suponer to suppose
supuesto: por supuesto of course
sur *m* south; **el sur** South wind
sustitución *f* substitution
sustituir (y) to substitute for
susto fright, scare
suyo (of) his, hers, theirs, its, yours

T

taco taco, billiard cue
tal such; **tal vez** perhaps
tamal *m* tamale
también also, too
tampoco neither
tan so, as; **tan... como** as . . . as
tango tango
tanto so (as) much; *adv* so much; **mientras tanto** meanwhile; **tanto como** as much as; **tanto mejor** so much the better; **tantos** so (as) many
tapa lid, cover
tapete *m* carpet, rug
tardar(se) to be late, delay; take time
tarde late
tarde *f* afternoon
tarea task, chore
tarjeta card
tartamudear to stutter
taxi *m* taxi
taza cup
te you, to you, yourself
te *f* the letter "t"
té *m* tea
teatral theatrical
teatro theater
tejo metal disk
telefónico telephone *(adj)*
teléfono telephone; **por teléfono** on the telephone
televisión *f* television
tema *m* theme
temblar to tremble
temer to fear
temperatura temperature
templo temple
temporada season, spell; **temporada de lluvia** rainy season
temprano early
tener (ie) to have, possess; **no tener más remedio que** to have no choice but; **tener algo de** to be a little; **tener... años** to be . . . years old; **tener ganas** to feel like, want to; **tener hambre** to be hungry; **tener lugar** to take place; **tener miedo** to be afraid; **tener prisa** to be in a hurry; **tener que** to have to; **tener razón** to be right; **tener sed** to be thirsty; **tener suerte** to be lucky
tenis *m* tennis
tensión *f* tension
tenso tense
teoría theory
tercero third
terminado completed
terminal *f* terminal
terrible terrible
territorio territory
terror *m* terror
tesoro treasure
textil textile
tía aunt
tiempo time, weather
tienda store
tigre *m* tiger
timbre *m* doorbell; **tocar el timbre** to ring the doorbell

tímido timid
tinto *(Colombia)* black coffee
tío uncle; **tíos** uncle and aunt
típico typical
tipo type, kind, class
tirano tyrant
tirar(**se**) to toss, throw; throw oneself; **tirarse de cabeza** to dive headlong
tiro shot
tirón *m* tug, pull; **de un tirón** with one tug
tocar (qu) to touch, play an instrument; be one's turn; **nos ha tocado** we've had; **tocar el timbre** to ring the bell
todavía still, yet
todo all, every; **de todas maneras** anyway, at any rate; **de todos modos** anyway, at any rate; **después de todo** above all; **sobre todo** especially; **todo el mundo** everybody; **todos** everybody
tomar to take, eat, drink; **tomar el pelo a** to jest, kid; **tomar por** to turn into
tomate *m* tomato
tonto foolish, stupid
torear to fight bulls
torero bullfighter
toro bull; **los toros** bullfight
torre *f* tower
torta cake
tortilla tortilla
toser to cough
tostado toasted; **tostadas** toast
total total
total *m* total
trabajar to work
trabajo work
tradición *f* tradition
traer to bring, carry, have
tráfico traffic
trago drink, swallow
traje *m* suit, dress; **traje de baño** bathing suit
tranquilidad *f* tranquility
tranquilizar (c) to quiet down
tranquilo tranquil, quiet, peaceful
transistor *m* transistor; **radio a transistores** transistor radio
transporte *m* transportation
trapo rag; **muñeca de trapo** rag doll
trasmisión *f* transmission
tratar(**se**) to try, treat; be about, talk about
trece thirteen
treinta thirty
tremendo tremendous
tren *m* train
tres three
trescientos three hundred
tribu *m* tribe
tribuna grandstand
triste sad
triunfal triumphal
triunfar to triumph
triunfo triumph, victory
tronco trunk
tropical tropical
trópico tropic
truco trick
tu your
tú you
tucumano pertaining to Tucumán
túnel *m* tunnel
turismo tourism
turista *m/f* tourist
turnar(**se**) to take turns
tuyo (of) yours

U

u or
Ud., Uds. *abbr of* **usted, ustedes**
¡Uf! *interj* (denoting weariness or annoyance)
último last, final; **estar de última moda** to be the rage, be in style
único only, unique
uniforme *m* uniform
unir(**se**) to unite
unísono sounding together, in unison
universidad *f* university
universitario university *(adj)*
uno a, an, one; **unos** some; **unos cuantos** a few
urgencia urgency
uruguayo Uruguayan
usar to use
uso use
usted you; **de parte de usted** on your side
usual usual

V

vacaciones *f pl* vacation
vacío empty
vacuna vaccination
vago vague
vagón *m* railroad car
vaivén *m* swaying movement
valer to be worth; **valer la pena** to be worthwhile; **¡Válgame Dios!** Good heavens!
valor *m* value
valle *m* valley
vano: en vano in vain
variar (í) to vary
variedad *f* variety
varios various, several
vaso glass
vecino neighboring; neighbor
vegetación *f* vegetation
vehemente vehement
veinte twenty
veintiuno twenty-one
veinticinco twenty-five
veinticuatro twenty-four
veintiocho twenty-eight
velocidad *f* velocity
vencer (z) to win
vendedor *m* vendor, seller
vender to sell
venezolano Venezuelan
venir (ie, i) to come
ventaja advantage
ventana window; **ventanilla** window of a train or car
ver(se) to see; find oneself; **a ver** let's see
verano summer; **en pleno verano** in the middle of summer
verdad *f* truth; **de verdad** really; **es verdad** that's right, it's true, that's the truth; **¿Verdad?** Don't you? Aren't you? Isn't it?
verdaderamente really, truly
verdadero genuine, real
verde green
verduras greens, vegetables
vergüenza shame
verso (line of) verse
vestíbulo vestibule
vestido dress
vestir(se) (i) to dress, be wearing; to dress oneself; **vestido con** wearing, dressed in
veterinario veterinarian
vez *f* time; **a la vez** at the same time; **a veces** sometimes; **cada vez más** more and more; **de vez en cuando** from time to time; **otra vez** again; **tal vez** perhaps
vía *adv* by way of, via
viajar to travel
viaje *m* trip; **andar de viaje** to take a trip
viajero traveler; **cheque de viajero** traveler's check
vibrar to vibrate
víctima victim
victoria victory
victorioso victorious
vicuña vicuña
vida life
vidrio pane of glass
viejo old; pal
viento wind
viernes *m* Friday
vino wine
violento violent
violinista *m/f* violinist
virgen *f* virgin
virtual virtual
visibilidad *f* visibility
visita visit
visitante visitor
visitar to visit
vista view
vitrina shop window
viva cheer
vivir to live
vivo alive, living
volar (ue) to fly
volver(se) (ue) to return; turn; **Ahora vuelvo.** I'll be right back. **volver a +** *inf* to . . . again; **volver en sí** to regain consciousness
vosotros you (*pl*)
votar to vote
voto vote
voz *f* voice; **en voz alta** out loud, in a loud voice; **en voz baja** in a soft voice
vuelo flight
vuelta turn, return; **dar una vuelta** to turn around, walk around; **dar vueltas** to go back and forth; **darse vuelta** to turn around; **las vueltas** trips back and forth

vulgar common, ordinary
vulnerable vulnerable

W

W.C. *abbr for* water closet
water *m* water closet

Y

y and
ya already, now, yet; **ya que** since
yatari *m* witch doctor
yo I

Z

zamba Argentine folk dance
zapato shoe
zigzag *m* zig-zag
zona zone
zoológico zoological; **parque zoológico** zoo

9 0 1 K 2 L 3 M 4 N 5